Carine Skupien Dekens, Alain Kamber, Maud Dubois

Institut de langue et civilisation françaises
Université de Neuchâtel

Manuel d'orthographe
pour le français contemporain

Éditions Alphil-Presses universitaires suisses

© Éditions Alphil-Presses universitaires suisses, 2011
Case postale 5
2002 Neuchâtel 2
Suisse

www.alphil.ch
www.presssesuniversitairessuisses.ch

ISBN 978-2-940235-91-9

Table des matières

IV

III.   Corrigés des exercices

Avant-propos

Le présent *Manuel d'orthographe pour le français contemporain*, rédigé pour l'enseignement à l'Institut de langue et civilisation françaises (ILCF) de l'Université de Neuchâtel, veut répondre aux besoins d'apprenants du français ayant pour but d'atteindre un niveau B2 du Cadre européen commun de référence pour les langues (CECR) dans le domaine de l'expression écrite.

Il se compose de deux parties : la première est consacrée à l'orthographe grammaticale, la seconde à l'orthographe d'usage. Le maintien de cette bipartition traditionnelle de la matière a pour objectif de présenter aussi bien les variations dans l'écriture en fonction du contexte d'utilisation que la manière d'écrire les mots du lexique français indépendamment de leur usage dans la phrase ou le texte.

La partie « orthographe grammaticale », regroupant des aspects de morphologie et de syntaxe, traite de la façon de marquer graphiquement les éléments variables du lexique en fonction des relations qu'ils entretiennent entre eux. Cela concerne en particulier les marques du pluriel et du féminin des noms et des adjectifs, ainsi que la conjugaison des verbes. Dans les explications, les auteurs ont voulu porter une attention particulière aux variations phoniques et souligner les éléments qui permettent souvent de distinguer deux formes (masculin et féminin, singulier et pluriel, etc.) à l'oral. Ils ont également cherché à éviter, dans la mesure du possible, les listes d'exceptions pour donner aux apprenants des explications à valeur générale.

Les mots présentés dans la partie « orthographe d'usage » sont ceux des deux premières listes[1] (soit les 2'000 mots les plus fréquents) du logiciel Vocabprofile, profil lexical développé pour le français par Horst & Cobb en 2004 (voir http://www.lextutor.ca). Ces listes sont basées sur des écrits journalistiques : les corpus du *Monde* et du *Soir* ont été utilisés pour les établir, et elles ne contiennent pas de lexique spécialisé.

Les unités lexicales sont exposées sans contexte d'utilisation, chaque mot possédant une orthographe définie, dont il est indispensable de faire l'apprentissage. La présentation de ces mots est fondée sur le lien entre le code oral et le code écrit et veut mettre en évidence, lorsque c'est possible, des correspondances régulières entre phonèmes et graphèmes. Les unités lexicales sont classées en fonction de leur dernier phonème vocalique ; ainsi, on trouvera un mot comme « démocratie » dans le chapitre consacré au phonème [i] (parmi les graphies de [i] en finale absolue), alors que « concours » figure, lui, sous [u] (parmi les graphies du phonème [u] suivi d'une consonne). Les verbes, quant à eux, sont répartis en

---

[1] Avec des recours exceptionnels à la troisième liste, soit les mots du troisième millier en matière de fréquence.

fonction des phonèmes consonantiques qu'ils contiennent ; ainsi, « acquérir » se trouve dans le chapitre consacré au phonème [k]. Un index en fin d'ouvrage permettra à l'utilisateur de retrouver facilement les mots proposés. Le recours systématique à l'API dans une partie des exercices de cette deuxième partie se veut un moyen de tenir compte du rôle important du code oral pour l'acquisition de la graphie.

Les exemples, de même que les phrases des exercices de ce manuel, sont authentiques. Ils sont tirés de « Corpus français » (http://wortschatz.uni-leipzig.de/ws_fra/). Cette base de données contient notamment plus de 19 millions de phrases extraites de journaux francophones, du web et de Wikipédia et livre à notre avis une base particulièrement adaptée à l'étude du français contemporain écrit.

Nous tenons ici à remercier chaleureusement les étudiants de l'ILCF qui nous ont amenés à nous poser un certain nombre de questions nécessaires sur l'orthographe française et son enseignement, et Monsieur Adrian Branger qui, par ses commentaires et suggestions, a contribué à améliorer la qualité du présent ouvrage.

Alain Kamber
Carine Skupien Dekens
Maud Dubois

Bibliographie sélective

Bandelier, André, Eigeldinger, Frédéric & Rytz, François (^{5}1997) : *Cours d'orthographe française*. Université de Neuchâtel (Séminaire de français moderne).

Bandelier, André & Cortier, Claude (2006) : Vocabulaires fondamentaux et Français fondamental : applications à l'apprentissage de l'orthographe. In : *Documents pour l'histoire du français langue étrangère ou seconde*. SIHFLES 36. 139-152.

Briet, Henri (2009) : *L'accord du verbe. Règles, exercices et corrigés*. Bruxelles (De Boeck / Duculot).

Brissaud, Catherine, Jaffré, Jean-Pierre & Pellat, Jean-Christophe (éds) (2008) : *Nouvelles recherches en orthographe. Actes des journées d'études des 14 et 15 juin 2007, Université de Strasbourg*. Limoges (Lambert-Lucas).

Chollet, Isabelle & Robert, Jean-Michel (2007) : *Les verbes et leurs prépositions*. Paris (CLE International).

Cobb, Tom : *The compleat lexical tutor for data-driven language learning on the web*. Disponible : http://www.lextutor.ca.

Cobb, Tom & Horst, Marlise (2004) : Is there room for an Academic Word List in French? In : Laufer, Batia & Bogaards, Paul (éds) : V*ocabulary in a Second Language : Selection, Acquisition, and Testing*. Amsterdam (John Benjamin), 15-38.

Dubois, Maud, Kamber, Alain & Skupien Dekens, Carine (éds) (2011) : *L'enseignement de l'orthographe en FLE*. Revue TRANEL (Travaux neuchâtelois de linguistique) 54.

Grevisse, Maurice (^{32}2009) : *Le petit Grevisse. Grammaire française*. Bruxelles (De Boeck / Duculot).

Grevisse, Maurice (^{6}2009) : *Le français correct. Guide pratique des difficultés*. Bruxelles (De Boeck / Duculot).

Riegel, Martin, Pellat, Jean-Christophe & Rioul, René (^{3}2004) : *Grammaire méthodique du français*. Paris (PUF).

Wilmet, Marc (1999) : *Le participe passé autrement. Protocole d'accord, exercices et corrigés*. Bruxelles (De Boeck / Duculot).

Les phonèmes du français en API

Voyelles

[a]	ami, patte
[ɑ]	âme, pâte
[ɑ̃]	sans, rendre
[ø]	peu, deux
[ə]	premier, mercredi
[œ]	peur, immeuble
[œ̃]	brun, lundi
[e]	clé, aller, chez
[ɛ]	élève, lait, merci, rêve
[ɛ̃]	brin, plein, bain
[i]	finir, syllabe
[o]	mot, eau, sauter
[ɔ]	donner, porter, sol
[ɔ̃]	son, bonté
[y]	rue, nu
[u]	fou, nous

Consonnes

[b]	beau
[k]	café, qui, képi
[d]	dans
[f]	fou
[g]	gare
[ʒ]	je, page
[ʃ]	chant
[l]	lent
[m]	mot
[n]	nous
[ɲ]	montagne
[ŋ]	camping
[p]	papa
[ʀ]	venir, rare
[s]	sans, celui, dessous
[t]	ton
[v]	vent
[z]	maison, zéro

Semi-consonnes

[j]	fille, pied, yeux
[ɥ]	lui, puis
[w]	oui

I

Orthographe grammaticale

1.   Le pluriel des noms

> Les **voleurs**, originaires de divers **pays** européens, sévissaient essentiellement dans les **châteaux** et les **maisons** bourgeoises.

La phrase ci-dessus contient plusieurs noms au pluriel : *voleurs, pays, châteaux* et *maisons*.

> ➢ Le pluriel des noms est marqué à l'écrit par l'adjonction d'un -*s* final (*voleurs, maisons*), à moins que le nom au singulier ne se termine déjà par
> -*s* (*un pays > des pays*),
> -*x* (*un prix > des prix*)
> ou -*z* (*un nez > des nez*).
>
> Il existe cependant de nombreux cas particuliers.

Cas particuliers

1.   Sans changement perceptible à l'oral : adjonction d'un -x

1.1. Les noms en -*au* (sauf : *des landaus*)

   (a) La manœuvre a été rendue possible par l'utilisation de **tuyaux** d'une longueur exceptionnelle.
   (b) Mais partout la vie continue, avec **landaus** dans les squares, bistrots bruyants et badauds mains dans les poches.

1.2. Les noms en -*eau*

   (a) Par deux fois, sa maison a été envahie par les **eaux**.
   (b) Les **bateaux** récents ne sont vraiment pas adaptés à notre région.

1.3. Les noms en -*eu* (sauf : *des bleus* et *des pneus*)

   (a) Il arrive au volant d'une voiture décapotable, ses **cheveux** gris au vent.
   (b) Nos **vœux** de succès dans la poursuite de sa carrière l'accompagnent.
   (c) A l'aube, cinq ponts de la ville ont été bloqués par des autonomistes qui incendiaient des **pneus**.

1.4. Sept noms en -*ou* : *bijou, caillou, chou, genou, hibou, joujou, pou*

   (a) Yannick a très vite ressenti une irrésistible attirance pour les **bijoux** et les **cailloux** qui, bien sûr, étaient ses **joujoux** préférés.

2.   Avec changement perceptible à l'oral : finale distincte

2.1. Les noms en -*al* forment leur pluriel en -*aux*.

   (a) Les **chevaux** de course d'aujourd'hui appartiennent à une même famille, celle des purs-sangs.
   (b) Les **journaux** ont publié des statistiques détaillées.

Sauf : huit noms qui forment leur pluriel en *-als* : *bal̲s, cal̲s, carnaval̲s, cérémonial̲s, chacal̲s, festival̲s, récital̲s, régal̲s.*

(c) Nous animons les **bals**, les thés dansants, les mariages, les anniversaires.
(d) Salons, expositions et **festivals** se multiplient – pour le meilleur et pour le pire.

2.2. Sept noms en *-ail* forment leur pluriel en *-aux* : *bail > baux ; corail > coraux ; émail > émaux ; soupirail > soupiraux ; travail > travaux ; vantail > vantaux ; vitrail > vitraux.*

(a) Les **vitraux** de l'église et de la chapelle de Marguerite éblouissent par leur couleur.
(b) Elle accueille les clients, fait visiter les appartements, participe à la signature des **baux**.

Tous les autres noms en *-ail* forment régulièrement leur pluriel en *-ails*.

(c) Les **détails** de cette découverte sont disponibles sur le site Internet de la revue scientifique *Nature*.
(d) Le concours récompensera les plus beaux **épouvantails**.

3. Trois noms monosyllabiques : pluriel graphique régulier et forme orale irrégulière

Les noms *œuf* [œf], *bœuf* [bœf] et *os* [ɔs] deviennent *œuf̲s, bœuf̲s* et *o̲s,* mais, au pluriel, la consonne finale n'est pas prononcée et la voyelle se ferme : *des bœufs* [bø]; *des œufs* [ø] ; *des os* [o].

4. Trois noms à double forme au pluriel, avec changement de sens

Les noms *aïeul, ciel* et *œil* ont deux formes différentes au pluriel, qui correspondent à deux sens différents.

un aïeul	> *des aïeux*	« des ancêtres »
	> *des aïeuls*	« des grands-pères » ; « des grands-parents »
	> *des aïeules*	« des grands-mères »
un ciel	> *des cieux*	« lieu surnaturel » ; « espaces infinis »
	> *des ciels*	« espaces visibles au-dessus de nos têtes » ; « parties d'une peinture représentant le ciel » (et dans les mots composés, comme : des *ciels de lit*)
un œil	> *des yeux*	« des organes de la vue »
	> *des œils*	(dans les mots composés, comme : des *œils-de-bœuf*)

5. Le pluriel des noms composés

5.1. Les noms composés qui s'écrivent en un seul mot forment leur pluriel comme les mots simples (*gendarmes*), sauf les couples *monsieur / messieurs ; madame / mesdames ; bonhomme / bonshommes ; gentilhomme / gentilshommes* dont le déterminant ou l'adjectif est variable.

(a) Elle se lève, hésite un instant et lance : « **Messieurs** les **gendarmes**, bonsoir ! »

5.2. Dans les noms composés non soudés (avec ou sans trait d'union), seuls le **nom** et l'**adjectif** peuvent prendre la marque du pluriel, les autres éléments demeurant invariables.

Adjectif + nom :	*un rouge-gorge > des rouges-gorges*
Adverbe + nom :	*une arrière-boutique > des arrière-boutiques*
Préposition + nom :	*un après-midi > des après-midis*
Verbe + nom :	*un pèse-lettre > des pèse-lettres*
Verbe + verbe :	*un laissez-passer > des laissez-passer*
Verbe + adverbe :	*un passe-partout > des passe-partout*
Verbe + conjonction + verbe :	*un va-et-vient > des va-et-vient*

Selon les recommandations de l'Académie Française datant de 1990 (« Réforme de l'orthographe »), tous les noms composés d'un **verbe** et d'un **nom**, avec trait d'union, prennent la marque du pluriel sur le second élément : *un cure-dent > des cure-dents ; un abat-jour > des abat-jours*[1].

(a) Suivant les régions, les **perce-neiges** portent aussi le nom de gouttes de lait ou clochettes d'hiver.
(b) Depuis 1978, Bacchus Antique fournit des **tire-bouchons** de collection dans le monde entier.

Il en va de même des noms composé d'une **préposition** et d'un **nom** : *un après-ski > des après-skis*.

(c) Cette année-là, notre pays a vécu des **avant-goûts** du changement qui ont bouleversé son mode de vie politico-économique.

5.3. Les noms composés de **deux noms** prennent chacun la marque du pluriel s'ils entretiennent un rapport d'équivalence : *une porte-fenêtre > des portes-fenêtres* (« des portes qui sont en même temps des fenêtres ») ; *une jupe-culotte > des jupes-culottes* (« pantalon très ample coupé de manière à tomber comme une jupe »).

(a) Pour des **choux-fleurs** plus blancs, ajoutez du lait à l'eau de cuisson.

Si le second nom a la fonction d'un complément introduit ou non par une préposition, il reste invariable : *un timbre-poste > des timbres-poste* (« des timbres de la poste ») ;

---

[1] Remarque : l'usage, cependant, tend à garder les anciennes règles, plus compliquées (*un abat-jour > des abat-jour*, cet instrument servant à rabattre la lumière (et non les lumières) d'une lampe).

une pause-café > *des pause_s_-café* (« pauses que l'on fait pour prendre le café ») ;
une eau-de-vie > *des eau_x_-de-vie* (« alcool très fort à base de fruits ou de céréales »).

(b) Certains films du cinéma muet sont considérés comme des **chefs-d'œuvre** par les experts.

Exercice 1 : Dans les phrases ci-dessous, soulignez les noms singuliers auxquels on ne peut pas ajouter un -s pour former le pluriel.

1. Il est environ 20 heures, le repas vient de se terminer et les membres de la famille débarrassent la table.
2. On voyait un jardin en croix, un puits au milieu, délimité en quatre parties.
3. Partout, la vie a repris son cours.
4. Il a travaillé avec les moines, creusé des rigoles et cimenté des murs, vêtu d'un bleu de travail.
5. Hier, c'était gâteau de foie de volaille avec coulis de tomate au basilic.
6. La jeune femme, qui sortait du bal des pompiers, a été admise au service de réanimation de l'hôpital de Roanne après une immersion accidentelle dans le canal.
7. Pour une raison indéterminée, le plateau s'est mis en mouvement, arrachant le portail métallique de l'entreprise, puis traversant la route pour finir sa course dans un mur en béton protégeant des installations de Gaz de France.
8. Ils sont disponibles en dix-huit coloris et portent, gravé dans l'émail ou l'inox, le nom de leur propriétaire.
9. A la sortie, il faudra penser au pourboire.
10. Elle a reçu une volée de pierres, notamment un gros caillou à la tête.

Exercice 2 : Corrigez s'il y a lieu les phrases ci-dessous.

1. Assise dans son fauteuil, un journal déplié sur ses genous, elle sourit.
2. D'autres feux se sont déclenchés dans la journée dans le sud de la France, attisés par le vent violent.
3. Les pneux traditionnels perdent beaucoup de leurs qualités à basse température.
4. Pour les enfants, chez Disney, on trouvera des pyjamaz à 13 francs, et des chemises à 4 francs.
5. Elle a refusé toute forme d'hygiène et s'est plainte de violents mals de ventre.
6. Une formule d'abonnement pour les trois récitaux est également proposée.
7. Il ne suffit pas de renvoyer un dictateur pour créer des route, des hôpitaux et des école.
8. La lutte anti-spam entraîne un accroissement considérable des en-tête dans les messages.
9. Durant cette dernière décennie, les hauts-parleurs ont considérablement évolué.
10. Les ordinateurs portables sont exclus depuis peu des wagons-restaurant de Pologne.

Exercice 3 : Mettez au pluriel les syntagmes nominaux en italique et faites les accords nécessaires.

1. Le logement de Suzanne fait partie des cinq appartements *du rez-de-chaussée* les plus détruits.

    _____

2. *Cet incendie* fut sans conséquence car il fut très vite maîtrisé grâce à certains riverains armés d'*un seau d'eau.*

    _____

3. Une torche à la main, il transmet *un signal* au barreur.

    _____

4. *Le résultat obtenu* est au-dessus *du seuil réglementaire.*

    _____

5. C'est lui qui a fait *le choix décisif* et a fait accepter *le compromis.*

    _____

6. *Le jeu* apporte aux enfants des chances supplémentaires de se développer et de s'épanouir, à condition que les parents prennent le temps de faire *le bon choix.*

    _____

7. Max Ernst, trois cents ans plus tard, découvre *un sphinx* dans l'empreinte d'une éponge, *un oiseau* dans *le corail, un dragon* dans la mousse.

    _____

8. Le montage *du porte-bagage* sur le vélo lui-même peut être délicat.

    _____

9. Dans la symbolique occidentale, *l'arc-en-ciel* est souvent associé à la joie et la gaieté ou au renouvellement.

    _____

10. Un ennemi pourrait-il couler *un porte-avion américain* ?

    _____

2.   Le pluriel des adjectifs

> Sur la quarantaine d'enfants **inclus** dans le programme, **seuls** deux posaient encore à la fin de l'année de **gros** problèmes.

La phrase ci-dessus contient trois adjectifs au pluriel : *inclus, seuls* et *gros.*

> ➢ Le pluriel des adjectifs obéit aux mêmes règles que celui des noms. Il est marqué à l'écrit par l'addition d'un -s final (*inclus, seuls*), à moins qu'il ne se termine par -s (*gros*) ou -x (p. ex. *heureux*) au singulier.
>
> Il existe cependant de nombreux cas particuliers.

Cas particuliers

1.   Sans changement perceptible à l'oral : adjonction d'un -x

1.1. Les adjectifs en *-eau*

(a) Avec les **beaux** jours, les amoureux de la petite reine retrouvent le sourire.
(b) L'artiste a peint une série de tableaux **jumeaux**.

1.2. Les adjectifs en *-eu* (sauf : *bleu<u>s</u>*)

(a) On trouve sur ce disque des chants **hébreux** et anglais qui nous transportent vers Jérusalem.
(b) La police et des unités de casques **bleus** de l'ONU étaient visibles dans plusieurs quartiers.

2.   Avec changement perceptible à l'oral : finale distincte

2.1. Les adjectifs en *-al* forment leur pluriel en *-aux.*

(a) Morts et blessés submergent les morgues et hôpitaux de Bagdad, qui manquent de personnel et de moyens **médicaux**.
(b) « Tous différents, tous **égaux**. »

Sauf : quelques adjectifs qui forment leur pluriel en *-als* : *fatals, glacials, natals* (et ses dérivés), *navals, tonals.*

(c) Les effets de la drogue, mélangée à l'alcool, auraient pu lui être **fatals**.
(d) Des examens **prénatals** sont proposés, non imposés.

2.2. Deux adjectifs en *-al* forment leur pluriel en *-als* ou en *-aux*, sans changement de sens : *final > finals / finaux* et *idéal > idéals / idéaux.*

(a) Il est possible de télécharger les rapports **finals** de la commission en cliquant sur les liens ci-dessous.
(b) Les résultats **finaux** seront prononcés lors d'une soirée de gala au Flore.

(c) Son grand parc arboré, sa piscine, ses multiples aires de jeux, son château, se veulent les lieux **idéals** pour des vacances collectives de rêve.

(d) Finalement, il n'y a pas de parents **idéaux.**

2.3. Un adjectif en -*al* forme son pluriel en -*als* ou en -*aux*, avec changement de sens : *banal* > *banal̲s* (« qui est extrêmement commun ») et *banal* > *ban̲a̲u̲x* (*hist.* « qui appartient à la circonscription du seigneur »).

(a) Les faits sont à la fois **banals** et effrayants.

(b) Grand défenseur du patrimoine, il a œuvré pendant plus de 30 ans pour sauver des églises, des ponts, des fours **banaux** et autres trésors.

3. Pluriel des adjectifs de couleur

3.1. Adjectifs de couleur simples : variables

(a) En juillet vient le temps des premières récoltes, celles des olives **vertes**, les olives **noires** seront quant à elles cueillies en novembre.

3.2. Adjectifs de couleur composés (avec ou sans trait d'union): invariables

(a) Les revêtements alors **bleu-vert** sont remplacés par des tapis blancs comme neige.

(b) Ces adorables petites sandales **jaune pâle** sont à la mode cet été.

3.3. Adjectifs de couleur issus d'un nom : en principe invariables

(a) Sur des panneaux **orange** aux rayures verticales, un petit film se déroule devant les passagers qui arrivent dans la capitale vaudoise.

(b) Après une série de costumes **perle** ou **anthracite**, le créateur s'offre le luxe de matières comme le mohair, sur une veste militaire ou un manteau.

4. Pluriel des adjectifs complexes

4.1. Adjectifs complexes formés de deux adjectifs : les deux adjectifs sont variables.

(a) Bien vite, il proféra des mots **aigres-doux** envers les gendarmes, allant même jusqu'à l'insulte caractérisée.

(b) Les policiers ont constaté que les trois lycéens étaient **ivres-morts**.

4.2. Adjectifs complexes formés d'un adverbe (ou d'un adjectif à valeur adverbiale) ou d'une préposition et d'un adjectif : seul l'adjectif prend la marque du pluriel.

(a) La discipline médicale qui s'intéresse aux bébés **nouveau-nés** s'appelle la néonatologie. (*nouveau* = « nouvellement »)

(b) Le gouvernement vient d'ordonner aux patrons de magazines d'arrêter de publier des photos de jeunes filles **court vêtues**. (*court* = « courtement »)

(c) Ces personnages sont des élus **haut placés**. (*haut* = « hautement »)

(d) Tantôt les employeurs lui posent des questions indiscrètes, tantôt ils l'humilient par des propos **sous-entendus**.

(e) Les pénultièmes sont les **avant-dernières** syllabes des mots.

Sauf : le premier élément des adjectifs composés suivants s'accorde en genre et en nombre, même s'il a une valeur adverbiale.

(f) Le lendemain matin, s'il apercevait des fleurs **fraîches écloses,** il disait que la fée avait regardé son jardin.

(g) Les yeux **grands ouverts**, aveugle dans le noir, je pense à toi.

(h) Voici mes conseils aux collègues **nouveaux venus** dans l'enseignement supérieur.

(i) Selon un sondage, les touristes français arrivent **bons derniers** dans trois catégories : l'ouverture aux langues étrangères, la générosité et les pourboires !

(j) Vingt et un chevaux se sont effondrés en quelques minutes, **raides morts**, alors qu'ils allaient entrer en piste.

4.3. Si le premier adjectif se termine par *-a, -i, -o*, il reste invariable.

(a) Tout se dégrade dans l'ensemble des unités **intra** et **extrahospitalières**[1].

(b) Tout est fait à la main : il n'y a aucun aspect industriel ou **semi**-industriel.

(c) Des cours collectifs réuniront les deux formations **franco-anglaises** durant la journée.

4.4. Les groupes adjectivaux ***bon marché, meilleur marché*** sont invariables, car il s'agit à l'origine de groupes à valeur adverbiale (*à bon marché ; à meilleur marché*).

(a) Nous devons trouver un moyen d'assurer des logements **meilleur marché** aux jeunes ruraux.

Exercice 1 : Dans les phrases ci-dessous, soulignez une fois tous les adjectifs et deux fois ceux dont la forme au pluriel est irrégulière (auxquels il ne suffit pas de rajouter un -s ou qui ne s'accordent pas).

1. Il va nous falloir être attractif, innovant, proposer un mode de vie nouveau, profondément humain.
2. Au moment de l'accident, il circulait sur un vélo bleu.
3. "Je suis fou, je dois mourir", avait-il affirmé.
4. Il employait avant du matériel noble et coûteux : il préfère maintenant le plus trivial et le moins cher.
5. Manteau de cosaque en brocart or et noir, cardigan brodé de piécettes bronze, blouse violet cardinal et jupe en taffetas, imprimés enrichis d'effets métalliques rendent hommage à une culture des étoffes héritée des drapiers florentins.
6. Le grand beau temps qui n'en finit pas favorise les activités extérieures.
7. Les tissus d'ameublement marient les étoffes lourdes aux voiles flous et légers dans un effet théâtral.
8. Jusqu'à présent, le jugement pénal s'imposait par une autorité extérieure.
9. Le temps du pétrole abondant et bon marché sera très bientôt derrière nous.
10. *Quitter le monde* est le dernier roman doux-amer de Douglas Kennedy.

---

[1]   L'usage du trait d'union est irrégulier et soumis à variation.

Exercice 2 : Corrigez s'il y a lieu les phrases ci-dessous.

1. Au moment de l'accident, il était vêtu de pantalons marrons, et portait des chaussures noire et rouge.
2. Ils vivent, comme jadis les nobles féodals, reclus sur ce petit bout de terre.
3. Selon l'origine de la roche, les villages sont jaunes, orangé ou gris.
4. Les Etats-Unis ont exprimé leur mécontentement après des commentaires de haux responsables russes.
5. On a été sérieus, calmes dans le travail.
6. Ils sont très clairs, tour à tour glaciaux ou pétillants, sévère ou chaleureux.
7. Les agneaux nouveaux-nés viennent au monde avec une fourrure brillante et des boucles très serrées.
8. Un bouquet de fleurs fraîche écloses est posé sur sa table.
9. D'autres activités extras-scolaires seront mises en place comme des sorties, des spectacles, des goûters.
10. On prend plus de temps que les élèves normals pour comprendre.

Exercice 3 : Mettez au pluriel les éléments en italiques et faites les accords nécessaires.

1. Elle porte *un soulier*, noir bien entendu, et plat, et particulièrement laid.

   _____

2. *Une jeune femme incapable* de faire la cuisine est maintenant devenue un vrai cordon bleu.

   _____

3. *Je* suis fier et heureux de pouvoir en parler avec *toi*.

   _____

4. C'est justement *ce nouveau ménage* qui achète *un logement neuf*.

   _____

5. *Il* n'est ni naïf ni idéaliste, *il* est patient.

   _____

6. *Le premier match amical* est plutôt prometteur.

   _____

7. « Pour moi, *un musicien* peut être noir, blanc ou bleu à pois roses, l'essentiel est qu'il soit musicien. »

   _____

8. Au quotidien, cet homme porte *un lourd fardeau*.

   _____

9. *Le bulletin* de salaire est établi à partir *du salaire brut ou net*.

   _____

10. Bien sûr, il faut *un légume ferme et frais*, bref, pas mou du tout.

   _____

3.   Le féminin des noms

L'**avocate** de la jeune **Lituanienne** a indiqué que sa **cliente** transportait des médicaments pour sa famille.

La phrase ci-dessus contient trois noms animés au féminin : ***avocate, Lituanienne*** et ***cliente***.

> ➢ Le féminin des noms animés se forme de manière générale, à l'écrit, par l'adjonction d'un -e à la forme masculine (*avocat* > *avocate* ; *client* > *cliente*). Cette adjonction s'accompagne très souvent d'un redoublement de la consonne finale (*Lituanien* > *Lituanienne*) ou d'autres phénomènes.

1.   Aucun changement, ni à l'oral, ni à l'écrit (noms épicènes)

1.1. Les noms qui se terminent au masculin par -e (*un / une élève ; un / une camarade ; un / une malade*, etc.)

(a) Maria est **la concierge** de l'immeuble du 35 avenue de la Libération, à Saint-Etienne.

1.2. Certains cas particuliers : *un / une enfant ; un / une poison* (« un homme, une femme insupportable ») ; *le numéro un / la numéro un* (avec un adjectif cardinal)

(a) La Suissesse Martina Hingis, ancienne **numéro un** mondiale, sera opérée lundi à la cheville gauche dans une clinique de Zurich.

2.   Sans changement perceptible à l'oral : adjonction d'un -*e*

2.1. Les noms qui se terminent au masculin par une voyelle orale

Dans ce cas, le français de Paris ne marque pas la différence de genre [ami / ami] ; par contre, les locuteurs des autres régions francophones ont tendance à allonger la voyelle finale du féminin [ami / ami:].

(a) L'homme a expliqué que mardi vers 4 heures, il s'était disputé avec son **amie**.
(b) Cette **employée** d'hôtel de 19 ans sera interrogée à huis clos.

2.2. Les noms qui se terminent au masculin par une consonne prononcée : *un aïeul, une aïeule ; un ours, une ourse*. Dans certains usages minoritaires et critiqués, on écrit : *une professeure ; une pasteure*.

(a) La Britannique a devancé sa **rivale** irlandaise.

3.   Sans changement perceptible à l'oral : adjonction d'un -*e* et autres modifications orthographiques

- Redoublement du l

Pour les noms en -*el* : *un criminel* > *une criminelle ; un colonel* > *une colonelle ; Gabriel* > *Gabrielle*

(a) Mon entourage m'a regardée comme une **criminelle.**

(b) Après plus de sept siècles d'existence, la gendarmerie a nommé pour la première fois de son histoire une femme au rang de **colonelle.**

4. Avec changement perceptible à l'oral : adjonction d'un -*e*

L'adjonction du -*e* au féminin entraîne la prononciation de la consonne latente du masculin : *un candidat > une candidat*e [kɑ̃dida / kɑ̃didat] *; un montagnard > une montagnard*e [mɔ̃taɲaʀ / mɔ̃taɲaʀd] *; un bourgeois > une bourgeois*e [buʀʒwa / buʀʒwaz]

(a) Il faut dire que l'épouse de ce paysan était une incorrigible **bavarde**, incapable de garder un secret.

(b) J'aime la France, j'aime Paris, j'ai même été marié à une **Française.**

5. Avec changement perceptible à l'oral : adjonction d'un -*e* et autres modifications orthographiques

5.1. Redoublement de la consonne finale du masculin

- Redoublement du n

Pour les noms en -*en ; -ien ; -on*

(a) « Molière, c'est pas trop notre truc », explique une **lycéenne.**

(b) Je veux devenir **chirurgienne**, mais tout le monde essaie de me décourager.

(c) Éliane est une **vigneronne** déterminée.

Pour *un Chouan, Jean, un paysan, un Valaisan, un Veveysan.* Tous les autres masculins en -*an* ou -*ain* ont un féminin en -*ane* ou -*aine* (*une sultane, une Africaine*).

(d) **Jeanne** d'Arc est la patronne de la France.

(e) L'**écrivaine** descend d'un forestier du Béarn et d'une **paysanne valaisanne.**

- Redoublement du t

Pour les noms en -*et* (sauf : *un préfet > une préfèt*e)

(f) Elle était la **cadette** de deux sœurs.

Pour *un chat et un sot > une chatte, une sotte.* Les autres noms en -*at, -ot,* ne redoublent pas le -*t* (*une avocate, une idiote).*

(g) Poupounette est une petite **chatte sotte.**

- Redoublement du s

Pour *un gros > une grosse ; un métis > une métisse* (attention : la prononciation du masculin est [metis])

(h) Cette jolie **métisse** était volontaire et plutôt joviale mais l'hiver régnait au fond de son cœur.

5.2. Changement de la consonne finale du masculin

- *c > qu : un laïc > une laïque ; un Turc > une Turque* (sauf : *un Grec > une Grecque*)

(a)   Aujourd'hui, les collègues de **Frédérique** la reconnaissent comme l'une des leurs.

- *f > v : un veuf > une veuve*

(b)   C'est une **craintive** qui n'assume pas ses sentiments.

- *x > s :* pour les noms en *-eux : un amoureux > une amoureuse* (sauf : *un vieux > une vieille*) et deux noms en *-oux : un époux > une épouse ; un jaloux > une jalouse.*

(c)   C'est une **courageuse** : elle ne se plaint jamais.

- *x > ss : un roux > une rousse*

5.3. Autres changements

- Pour les noms en *-er > -ère : un berger > une bergère ; un boulanger > une boulangère.*

(a) Très choquée, une **caissière** du magasin a dû être évacuée par les sapeurs-pompiers.

- Pour les noms en *-eau > -elle : un jumeau > une jumelle ; un chameau > une chamelle* ainsi que *un fou > une folle* et *un vieux > une vieille.*

(b) Un beau jour, la **belle** est partie au bord de la rivière.

6.   Modification de suffixe : les noms en *-eur*

En règle générale, on peut définir deux catégories de féminisation des noms en *-eur :*

6.1. *-eur > -euse*

un vendeur > une vendeuse ; un voleur > une voleuse

(a)   La **fumeuse** est davantage exposée à un risque de fausse couche précoce.
(b)   Le Grand Prix olympique est revenu à la **nageuse** Laure Manaudou, triple médaillée aux jeux Olympiques d'Athènes.

6.2. *-teur > -trice*

un acteur > une actrice ; un directeur > une directrice

(a)   Vous sentez-vous l'âme d'une **séductrice** ?
(b)   Sa carrière de journaliste commence en 1950 : la voilà **rédactrice** en chef du journal *Elle*, avant de fonder *L'Express*, en 1953, avec Jean-Jacques Servan-Schreiber.

6.3. Cas particuliers

- Un certain nombre de noms en *-eur* ne forment pas leur féminin en *-euse :*

un ambassadeur > une ambassadrice ; un empereur > une impératrice ; un pécheur > une pécheresse ; un vengeur > une vengeresse ; un inférieur > une inférieure ; un supérieur > une supérieure ; un mineur > une mineure.

- Un certain nombre de noms en *-teur* ne forment pas leur féminin en *-trice* :

un enchanteur > une enchanteresse ; un docteur > une doctoresse (ne s'utilise que pour une femme docteur en médecine) *; un acheteur > une acheteuse ; un chanteur > une chanteuse* (*cantatrice* ne s'utilise que pour une chanteuse d'opéra) *; un flatteur > une flatteuse ; un menteur > une menteuse.*

L'usage hésite pour le féminin des noms de métiers comme *un professeur, un auteur, un pasteur, un sauveteur*. Dans certains cas, quand on estime qu'une forme féminine explicite est à éviter, il est possible d'ajouter *femme* à un nom de métier, de fonction ou de grade : *une femme médecin* (et non *une médecine*), *une femme pompier* (et non *une pompière*), *une femme soldat / un soldat femme* (plutôt qu'*une soldate*).

7. Adjonction du suffixe *-esse*

Pour les mots :

un abbé > une abbesse ; un âne > une ânesse ; un comte > une comtesse ; un diable > une diablesse ; un duc > une duchesse ; un hôte > une hôtesse ; un maître > une maîtresse ; un mulâtre > une mulâtresse ; un nègre > une négresse (péj.) ; un ogre > une ogresse ; un pauvre > une pauvresse ; un poète > une poétesse ; un prêtre > une prêtresse ; un prince > une princesse ; un prophète > une prophétesse ; un Suisse > une Suissesse ; un tigre > une tigresse ; un traître > une traîtresse.

(a) Cet ouvrier manutentionnaire a expliqué qu'il était marié à une **Suissesse**.
(b) Accusée de trahison, la **comtesse** sera exécutée et son château mis sous séquestre.
(c) Légèrement déhanchée, la **déesse** ramène avec grâce le pan d'une draperie sur son ventre.

8. Formes spéciales du féminin avec le même radical

8.1. Suppression de suffixe au féminin

un canard > une cane ; un compagnon > une compagne ; un dindon > une dinde

8.2. Changement de suffixe

un favori > une favorite ; un fils > une fille ; un héros > une héroïne ; un loup > une louve ; un neveu > une nièce ; un roi > une reine ; un serviteur > une servante ; un tsar > une tsarine

9. Formes spéciales du féminin avec un radical différent

9.1. Noms d'animaux : *un bélier > une brebis ; un bouc > une chèvre ; un cerf > une biche ; un coq > une poule ; un étalon > une jument ; un mâle > une femelle ; un matou > une chatte ; un singe > une guenon ; un taureau > une vache*

9.2. Etres humains : *un amant > une maîtresse ; un frère > une sœur ; un homme > une femme ; un mari > une femme ; Monsieur > Madame ; un oncle > une tante ; un papa > une maman ; un parrain > une marraine ; un père > une mère*

Exercice 1 : Dans les phrases ci-dessous,
- *soulignez une fois les noms animés qui se féminisent par l'adjonction d'un -e (un avocat > une avocate),*
- *soulignez deux fois les noms animés qui se féminisent par l'adjonction d'un -e et le redoublement d'une consonne (un lion > une lionne),*
- *entourez tous les autres cas.*

1. Autant dire qu'à 21 ans, le jeune homme n'est plus un débutant.

2. Mais, à la fin de sa vie, l'autorité du souverain ne suffisait plus à contenir la rapacité de ses serviteurs les plus proches.

3. C'est un ancien espion devenu banquier dans les années 1990.

4. Ses amis tiendront également la plume, sous la tutelle du rédacteur responsable du magazine.

5. Ils préparent des brevets de matelot de pêche, de mécanicien ou de marin de commerce.

6. Mon grand-père et mon père étaient aussi des mineurs de charbon.

7. Fils de l'architecte Paul Chemetov (auteur du ministère des finances de Bercy), Alexandre a été élevé par ses grands-parents.

8. Grand séducteur, à l'image de son créateur, qui fut un coureur de jupons sportif et mondain, Arsène Lupin semble fasciné par les nobles.

9. Son chien, c'était un peu comme son compagnon.

10. Le chanteur aux talents multiples (comédien, danseur, compositeur) multiplie les succès.

Exercice 2 : Corrigez s'il y a lieu les phrases ci-dessous.

1. Cette œuvre, « Une jolie criminèle », mêle et entremêle meurtre et amour.

2. Vendredi, à la radio, une auditeuse hurle : « Ce qui se passe, pour moi, c'est un génocide. »

3. Chaque été, vaches, bélières et chevaux partent vers les pâturages.

4. Les premiers mots furent ceux prononcés par sœur Marie-Françoise, supérieuse du monastère.

5. Le lycée accueillera également une stagière en espagnol.

6. Je peux vous le dire : cette fille a l'étoffe d'une grande comédiène.

7. La jeune inventeuse avait eu l'idée de créer des bouchons de cosmétiques sur lesquels on peut poser les flacons.

8. La voix de la chantrice semble jaillir de ce point.

9. La sublime rouse est cependant la première à illustrer une campagne publicitaire internationale pour le parfum le plus vendu au monde.

10. Dans ce cas, la mineure se fait accompagner par l'adulte de son choix.

Exercice 3 : Mettez au féminin les syntagmes nominaux en italique et faites les accords nécessaires.

1. *Le fondateur et directeur* du centre refuse le terme d'*éthicien* pour qualifier sa nouvelle fonction.

   _____

2. *L'autre adolescent* continue de se décrire comme « *spectateur* » du drame, selon *son avocat.*

   _____

3. *L'administrateur* de l'hôpital a indiqué qu'à l'exception d'*un infirmier suédois*, il n'y avait *ni patient ni employé étrangers* dans l'établissement.

   _____

4. Dimanche, *les deux garçonnets* de huit et trois ans se rendent chez *leur grand-père*, accompagnés de *leur oncle* et de *leur père.*

   _____

5. Oui, *ce médecin* est *un menteur.*

   _____

6. *Automobiliste molesté, pharmacien braqué, vendeur menacé, grand-père séquestré* dans sa voiture avec *son petit-fils*, voilà quelques-uns des faits reprochés à *ces criminels.*

   _____

   _____

7. Grâce à cela, *ce jeune cavalier prometteur* peut organiser sa saison avec *le même étalon.*

   _____

8. Une émission de radio locale a invité *un jeune sportif.* Aujourd'hui, *l'animateur* radio l'attend pour une interview et un dialogue avec *les auditeurs.*

   _____

9. Bref, il joue *l'idiot* et prétend qu'il faut être très intelligent pour faire croire que l'on n'est pas malin.

   _____

10. J'ai trouvé ça extraordinaire : le courage de *mon voisin*, celui de *mon neveu*, le dévouement *des pompiers.*

    _____

4.   Le féminin des adjectifs

C'est une **jolie** alliance **amoureuse** et **spirituelle** entre deux jeunes gens cultivés et désireux de démarrer une vie un peu moins **conformiste** que la plupart des jeunes de leur âge.

La phrase ci-dessus contient plusieurs adjectifs au féminin : *jolie, amoureuse, spirituelle,* et *conformiste.*

> ➢ Le féminin des adjectifs, comme celui des noms, se forme de manière générale, à l'écrit, par l'adjonction d'un -*e* à la forme masculine (*joli > jolie*).
> ➢ Cette adjonction s'accompagne très souvent d'un redoublement de la consonne finale (*spirituel > spirituelle*) ou d'autres phénomènes (*amoureux > amoureuse*).
> ➢ De nombreux adjectifs sont épicènes, c'est-à-dire qu'ils ont la même forme au masculin et au féminin (*conformiste > conformiste*).

1.   Aucun changement, ni à l'oral, ni à l'écrit (adjectifs épicènes)

1.1. Les adjectifs qui se terminent au masculin par -*e* (*conformiste ; rouge*)

    (a) C'est un bâtiment moderne qui offre une vue **magnifique** sur le Rhône, un cadre agréable et verdoyant.

    (b) Ce fut une cérémonie haute en couleurs, **fidèle** à la tradition.

    (c) À travers le ciel étoilé, Peter Pan emmène les enfants et la **minuscule** fée Clochette.

1.2. Les adjectifs de couleur issus d'un nom (*une veste* **marron**) et les adjectifs issus d'un adverbe (*une femme* **très bien**)

    (a) Le numéro un chinois est ostensiblement vêtu d'une vareuse **kaki**.

1.3. Certains cas particuliers dans des locutions figées d'origine ancienne *(une* **grand**-*mère ; une* **grand**-*place ; avoir* **grand** *faim)*

    (a) Les villes minières se succèdent le long de la **grand-route**.

2.   Sans changement perceptible à l'oral : adjonction d'un -*e*

2.1. Les adjectifs qui se terminent au masculin par une voyelle orale

Dans ce cas, le français de Paris ne marque pas la différence de genre [ʒɔli / ʒɔli] ; par contre, les locuteurs des autres régions francophones ont tendance à allonger la voyelle finale du féminin [ʒɔli / ʒɔliː].

    (a) « J'ai du mal à écrire une chanson **gaie** sans qu'elle soit empreinte de mélancolie », explique la chanteuse.

    (b) Dans la nuit de mardi à mercredi, vers 2 heures, cette dame **âgée** d'une soixantaine d'années ne dormait pas.

2.2. Certains adjectifs qui se terminent au masculin par une consonne prononcée

- Tous les adjectifs en *-al* : *amical > amical̲e̲ ; capital > capital̲e̲*

(a) Les tulipes et toutes les plantes bulbeuses à floraison **hivernale** et printanière sont en vente.

- Tous les adjectifs en *-il : puéril > puéril̲e̲; viril > viril̲e̲* (sauf : *gentil > gentil̲l̲e̲*)

(b) Ce spectre de la guerre **civile** est présent partout.

Attention : il existe de nombreux adjectifs épicènes en *-ile : facile, fragile, utile*, etc.

- Certains adjectifs en *-r : dur > dure ; sûr > sûre* et dix adjectifs en *-eur* de sens comparatif : *antérieur, extérieur, inférieur, intérieur, majeur, meilleur, mineur, postérieur, supérieur, ultérieur.*

(c) On mange le reste par **pure** gourmandise.
(d) Nous vérifions si cette déclaration est **antérieure** ou **postérieure** à celle de mardi passé.

Attention : Pour certains adjectifs en *-er* [ɛʀ], le féminin s'écrit *-ère* (sans changement de prononciation) : *amer > amère ; cher > chère ; fier > fière.*

3. Sans changement perceptible à l'oral : adjonction d'un *-e* et autres modifications orthographiques

3.1. Redoublement de la consonne finale du masculin

- *Redoublement du l*

Tous les adjectifs en *-el* (*actuel > actuelle ; cruel > cruelle*) et *nul > nulle*

(a) Et l'irritation face aux socialistes, jugés trop mous, est bien **réelle**.
(b) On attend avec impatience des chutes de neige ou au moins un coup de froid pour produire de la neige **artificielle**.

Les adjectifs en *-eil* (*pareil > pareille*)

(c) Elle avait le visage fardé de clair, bouche étroite et **vermeille**.

- *Redoublement du t et du s :*

Certains adjectifs se terminant au masculin par *-et* prononcé deviennent, au féminin : *-ette : net > nette* [nɛt / nɛt] (comme : *cet > cette*).

Les adjectifs se terminant par un *-s* prononcé au masculin deviennent *-sse* au féminin : *métis > métisse* [metis / metis].

(d) Il quitte le commissariat avec pour recommandation **expresse** de regagner son domicile et de s'y tenir.

3.2. Modification de la consonne finale du masculin

Les adjectifs se terminant en *-c* deviennent *-que : caduc > caduque ; turc > turque* sauf *chic* (invariable) *; grec > grecque.*

(a) Une même volonté les anime : inscrire le bilan santé dans une démarche de santé **publique**.

4. Avec changement perceptible à l'oral : adjonction d'un *-e*

L'adjonction du *-e* au féminin entraîne la prononciation de la voyelle latente du masculin. C'est le cas le plus fréquent : *petit > petite, grand > grande ; méchant > méchante.*

(a) Rachid arrive vêtu d'un jean et d'une chemise **grise**.

Les adjectifs en *-an, -ain, -ein, -in,* deviennent *-ane, -aine, -eine, -ine* au féminin, avec une dénasalisation de la voyelle finale [ɑ̃ > an ; ɛ̃ > ɛn ; ɛ̃ > ɛn ; ɛ̃ > in].

(b) Son œuvre personnelle est influencée par la lumière qui sculpte l'architecture **romane**.
(c) La pression de l'opposition, dénonçant des fraudes électorales, n'a pas été **vaine**.
(d) Elle est rigolote, **pleine** de vie et de talent, et adore écrire.
(e) Exposition **canine** internationale : au quart de poil près !

Sauf : *paysan > paysanne ; valaisan > valaisanne*

5. Avec changement perceptible à l'oral : adjonction d'un *-e* et autres modifications orthographiques

5.1. Redoublement de la consonne finale du masculin

- Redoublement du n (avec dénasalisation de la voyelle finale)

Les adjectifs en *-en ; -ien ; -on* deviennent *-enne, -ienne, -onne* au féminin [ɛ̃ > ɛn ; jɛ̃ > jɛn ; ɔ̃ > ɔn].

(a) Durée **moyenne** du séjour : 3,5 jours.
(b) Un message de partage, d'amour, de solidarité et de confiance en la foi **chrétienne** a été prononcé.
(c) Le gouvernement a choisi la **bonne** solution sur un sujet compliqué.

- Redoublement du s : bas > basse ; gras > grasse ; gros> grosse

(d) Les sapeurs-pompiers ont dû lutter de longues heures contre l'**épaisse** fumée qui se dégageait du sinistre.
(e) De guerre **lasse**, les militaires avaient fini par abandonner.

- Redoublement du t

Un certain nombre d'adjectifs en *-et : muet > muette ; violet > violette,* et tous les diminutifs (*gentillet, jeunet, etc.*)

(f) Le président était accompagné, entre autres, de sa fille **cadette**.

(g) A 25 ans, il en paraît cinq de moins, avec sa petite taille, son allure **fluette**, son style léger.

5.2. Changement de la consonne finale du masculin

- c > -che : blanc > blanche ; sec > sèche

(a) Les réformes du marché du travail en Allemagne commencent à porter leurs fruits avec une **franche** baisse du chômage en juin.

(b) L'année a commencé par une période **sèche** pour devenir ensuite très pluvieuse.

- f > -ve : bref > brève ; neuf > neuve

(c) Cette décision a suscité la colère et une **vive** polémique, les avocats de la défense criant au « scandale judiciaire ».

- g > -gue : long > longue

(d) L'avion a percuté la façade est de cet immeuble de forme **oblongue** et relativement étroit.

- r > -se : menteur > menteuse ; trompeur > trompeuse

(e) A donner : chienne câline et **joueuse**.

- s > -che : frais > fraîche

(f) Le ciel était nuageux, la visibilité était bonne et la température **fraîche**.

- x > s : pour les adjectifs en -eux et en -oux (heureux > heureuse ; jaloux > jalouse)

(g) Une famille **nombreuse** de six enfants, cinq garçons et une fille, sept petits-enfants et une arrière-petite-fille, est le fruit de cette union.

- x > ss : roux > rousse

(h) Il est blond, elle est **rousse**.

5.3. Autres changements

- Adjonction d'un -e, avec changement graphique

inquiet > inquiète ; complet> complète ; désuet > désuète ; secret > secrète ; discret > discrète ; indiscret > indiscrète ; concret > concrète ; replet > replète

(a) Une enquête **complète** est en cours pour connaître les causes de l'accident.

- Adjonction de -e avec variation vocalique simple

Pour les adjectifs en *-er > ère : premier > première ; entier > entière*

(b) Oui, je préside aujourd'hui ma quatorzième assemblée générale et ce sera la **dernière**.

(c) Agée de 24 ans, **gauchère**, elle attend maintenant le choc contre Amélie Mauresmo.

- Adjonction de -e avec variation vocalique complexe

Pour les adjectifs *beau > belle ; jumeau > jumelle,* ainsi que *fou > folle ; mou > molle* et *vieux > vieille*

6.   Avec changement perceptible à l'oral : modification de suffixe

En règle générale, on peut définir deux catégories de féminisation des adjectifs en *-eur.*

- teur > -trice : moteur > motrice

(a)   La démarche est, en réalité, tout à fait **provocatrice**.

- eur > -eresse : vengeur > vengeresse

(b)   Vézelay abrite les reliques de Marie-Madeleine, **pécheresse** et premier témoin de la Résurrection du Christ.

Exercice 1 : Dans les phrases ci-dessous,
- *soulignez une fois les adjectifs qui se féminisent par l'adjonction d'un -e (avec éventuellement d'autres phénomènes) **sans** changement de prononciation,*
- *soulignez deux fois les adjectifs qui se féminisent par l'adjonction d'un -e (avec éventuellement d'autres phénomènes) **avec** un changement de prononciation,*
- *entourez les adjectifs épicènes.*

1.   Les deux grands partis nationaux, le Parti socialiste et le Parti populaire, appellent au changement.
2.   Je suis fier et heureux de pouvoir en parler avec vous.
3.   Bouquet final de l'action pédagogique : la rencontre avec un écrivain.
4.   Pratiqué par des professionnels, le don de sang est totalement sécurisé, grâce à un matériel stérile et à usage unique.
5.   Le regard est serein, et l'œil attentif.
6.   Arrivé dimanche soir dans la capitale belge, le président américain dînera lundi avec son homologue français.
7.   Entre le blond et le brun, le gentil et le méchant, le veinard et le malchanceux, tout est bon pour exacerber les différences.
8.   « Nous sommes le deuxième plus gros employeur dans la région », indique un porte-parole.
9.   Tous ont bénéficié d'une formation à la fois théorique et pratique au sein de l'établissement, tout en conduisant un projet concret dans leur entreprise d'accueil.
10. Derrière lui flotte le drapeau vert et bleu frappé d'un pont et d'une roue, emblème de la ville.

Exercice 2 : Corrigez s'il y a lieu les phrases ci-dessous.

1.   L'Occident repartira dans sa course fole à la croissance.
2.   Plusieurs professeurs nouvellement nommés sont arrivés et vont enrichir la vie pédagogic de l'établissement de leur expérience antérieuresse.
3.   Voilà une bonne soupe complétée de crème fraisse épaise.

4. Ces textes empreints d'une vérité touchante ont la grâce naïve des cœurs simples.
5. Une confiserie artisanalle présentera des bonbons à la violette, au coquelicot et autres parfums délicats.
6. Le match prenait alors une autre dimension, plus passionnèle.
7. L'une de mes grand-mères était fermierre et il y avait tous les jours des œufs frais sur la table.
8. La règle platte frottée sur une peau de mouton attire les morceaux de papier.
9. Les élus locaux ne sont pas là pour appliquer une idéologie partisanne, mais pour être au service de tous.
10. Ni snob ni mondène, elle n'a pas le profil convenu dans les milieux de la mode et du business.

Exercice 3 : Accordez les adjectifs entre parenthèses.

1. La monarchie _____ (saoudien) est restée très _____ (discret) dans la campagne _____ (électoral).

2. Il faut viser à promouvoir une évolution des sociétés _____ (humain) qui les rende totalement _____ (conscient) de leurs responsabilités _____ (planétaire).

3. Prendre de _____ (bon) résolutions et s'y tenir comme au début d'une aube _____ (nouveau), d'une année _____ (prometteur).

4. Ils y ont été entendus comme témoins, de manière _____ (bref) et _____ (courtois), par un agent de la police _____ (judiciaire).

5. Pour combattre la délinquance, il y a une action _____ (clair) et _____ (net) à mener contre la violence, qui est l'affaire de l'Etat.

6. Ils étaient impliqués dans un trafic à _____ (grand) échelle de _____ (faux) cartes d'identité et de passeports.

7. La _____ (vieux) dame est _____ (allongé), _____ (immobile) sur son lit.

8. Ce qui prime, c'est donc la vie _____ (associatif) mêlée à l'activité _____ (sportif).

9. L'Europe est décidée à n'être pas seulement un marché, mais le centre d'une culture _____ (rayonnant) et d'une influence _____ (politique) _____ (inégalé) autour de la planète.

10. Cette _____ (ancien) zone _____ (maraîcher) de 4 hectares n'est qu'à 10 kilomètres du centre de Paris et à proximité _____ (immédiat) de l'Université Paris-VIII.

5.   L'accord de l'adjectif et du nom

> **Partie** à 19 ans à San Francisco, la **jeune** femme en revient à 22, déjà **veuve**.

La phrase ci-dessus contient trois adjectifs (*partie, jeune, veuve*) qui, tous les trois, s'accordent en genre et en nombre avec le sujet de la phrase, *femme*. Cependant, ils entretiennent des rapports différents avec le nom : *partie* est un adjectif détaché, *jeune* un adjectif épithète, et *veuve* un attribut du sujet.

> ➢ L'adjectif (ou le participe passé adjectivé), qu'il soit *épithète, détaché* ou *attribut*, s'accorde en genre et en nombre avec le nom ou le pronom auquel il se rapporte.

1.   Les adjectifs épithètes

On trouve les adjectifs épithètes dans les groupes nominaux, avant ou après le nom. Ils s'accordent toujours avec les noms auxquels ils se rapportent. Des participes passés ou présents (adjectifs verbaux) peuvent fonctionner comme adjectifs épithètes et s'accordent selon les mêmes règles.

(a) Il a épousé une **gentille** bibliothécaire **texane**, Laura.
(b) J'ai peur de dire des choses **désagréables.**
(c) Cette femme est respectueuse de la parole **donnée.**

2.   Les adjectifs détachés

On trouve les adjectifs détachés en tête de phrase ou parfois à la fin, mais toujours détachés du nom ou du pronom auquel ils se rapportent. Des participes passés ou présents (adjectifs verbaux) peuvent fonctionner comme adjectifs détachés et s'accordent selon les mêmes règles.

(a) **Heureux** et **impressionnés** d'être à la fête, les enfants ont écouté des histoires de Noël.
(b) Le ministre s'en va, **très déçu** par cette réponse.
(c) **Souriante,** elle se borne à faire le tour des étals en saluant tout le monde.

3.   Les adjectifs attributs

Des participes passés ou présents (adjectifs verbaux) peuvent fonctionner comme adjectifs attributs et s'accordent selon les mêmes règles que les autres adjectifs.

3.1. Les adjectifs sont dits **attributs du sujet** quand ils sont le deuxième élément d'un groupe verbal contenant *être*, un verbe d'état (*devenir, se faire, demeurer, rester, paraître...*) ou parfois un verbe d'action. Des noms peuvent remplir la même fonction. Dans tous les cas, ils s'accordent avec le sujet.

(a) Si on ne veut pas que tous les enfants *soient* **diabétiques, hypertendus** et **cardiaques** dans quelques années, il faut se pencher sur le problème.
(b) Et vous, Madame, vous *semblez* vous-même très **satisfaite.**

(c) <u>Elle</u> *part* **seule** vers le sommet, suivant les traces d'une équipe espagnole.

(d) <u>Mme Dallaire</u> *est* **la nouvelle présidente** de l'association Maison de la Famille.

3.2. Les adjectifs sont dits **attributs de l'objet** quand ils sont le troisième élément d'un groupe verbal et qu'ils qualifient le complément d'objet direct (COD). Des noms peuvent remplir la même fonction. Dans tous ces cas, ils s'accordent avec le COD qu'ils qualifient.

(a) Ainsi, le Premier Ministre trouve <u>l'idée</u> **intéressante**.

(b) Au terme d'un exercice, elle jugeait <u>le plan</u> **adéquat** et <u>la répétition</u> **réussie**.

(c) Cette guerre, vous <u>la</u> trouvez **nécessaire, morale, légale**?

(d) Je ne <u>m</u>'imagine pas une seconde en « **didacticienne** ».

4. Repérage du nom avec lequel accorder l'adjectif

Le repérage du nom qualifié par l'adjectif n'est pas toujours facile. Trois cas de figures peuvent être décrits :

4.1. L'adjectif se rapporte à un seul nom.

Dans ce cas, il faut appliquer les règles de la formation du pluriel des adjectifs (chapitre OG 2, p. 6-9) et du féminin des adjectifs (chapitre OG 4, p. 16-21).

- Attention : l'accord de certains adjectifs dépend de leur place (devant ou derrière le nom qu'ils qualifient). Ainsi, *demi, nu, ci-joint, ci-inclus* sont invariables **devant** les substantifs.

(a) Au bout d'<u>une</u> **demi**-<u>heure</u>, seuls quatre d'entre eux auront eu le courage de se lancer.

(b) J'aime mieux aller **nu**-<u>pieds</u>, marcher sur du gravier.

(c) Tu trouveras **ci-joint** <u>les différents avenants</u> aux contrats.

Mais ils varient **derrière** les substantifs.

(d) <u>Une heure</u> et **demie** après le début de l'intervention des pompiers, la situation était maîtrisée.

(e) Le ministre de l'intérieur a évoqué la nécessité pour les femmes musulmanes d'être photographiées <u>tête</u> **nue** sur leurs papiers d'identité.

(f) Il est toujours possible de se renseigner en utilisant <u>les adresses</u> **ci-jointes.**

- Attention : de la même manière, certains adjectifs ou participes passés placés devant les substantifs restent invariables, car ils sont employés comme des prépositions.

(g) Nîmes a du vague à l'âme et des rêves **plein** la tête. (= *dans*)

(h) **Passé** les premiers jours de froid, l'hiver nous semble naturel. (= *après*)

(i) **Vu** les conditions climatiques apocalyptiques, seuls huit pilotes étaient présents. (= *à cause*)

(j) Les poids lourds, **excepté** les transports de matières dangereuses, en transit seront autorisés. (= *sauf*)

4.2. L'adjectif se rapporte à plusieurs noms.

- Si les noms sont au **pluriel**, l'adjectif se met au pluriel.

(a)   Les parents mettent encore un point d'honneur à ce que leurs enfants aient, comme les autres, <u>des vêtements</u> et <u>des cartables</u> **neufs**.

- Si les noms sont au **singulier** (reliés par *et, ni, ainsi que, comme*), l'adjectif se met au pluriel quand la conjonction a le sens de *et*.

(b)   L'Institut de <u>langue</u> et <u>civilisation</u> **françaises**.
(c)   J'ai trouvé <u>le salon</u> des inventions **ainsi que** <u>le concours</u> de bricolage très **intéressant<u>s</u>**.
(d)   <u>La gauche</u> **comme** <u>la droite</u> **allemand<u>es</u>** ont souffert des défections des électeurs insatisfaits.

Mais l'adjectif s'accorde avec le premier terme quand la conjonction a une valeur de comparaison.

(e)   <u>La gauche</u>, **comme** un seul homme, **un<u>ie</u>** pour les droits des femmes !

- Si les noms sont de **genres différents**, l'adjectif se met au masculin pluriel. De préférence, on placera le nom masculin directement devant l'adjectif.

(f)   J'enseigne <u>l'orthographe</u> et <u>le vocabulaire</u> **français**.

- Si les noms sont **reliés par *ou*,** on accordera selon le sens. Si le *ou* est exclusif (l'un mais pas l'autre), on accordera avec le dernier terme. Si le *ou* marque une énumération (l'un et peut-être aussi l'autre), on met l'adjectif au pluriel.

(g)   Pour Nouvel-An, portez <u>une robe</u> **ou** <u>une jupe</u> **cintré<u>e</u>** et **échancré<u>e</u> noir<u>e</u>**.
(h)   <u>L'orthographe</u> **ou** <u>la grammaire</u> sont de toutes façons **difficil<u>es</u>**.

4.3. Plusieurs adjectifs se rapportent à un seul nom. L'accord se fait selon le sens.

(a)   J'ai donc vu mon médecin qui a constaté la différence de couleur entre <u>les bras</u> **gauch<u>e</u>** et **droi<u>t</u>**.
(b)   Il fit de **courageux** mais **vain<u>s</u>** <u>efforts</u> pour rétablir son autorité.

Exercice 1 : Dans les phrases ci-dessous,
- *entourez les adjectifs (ou les noms remplissant une fonction d'attribut)*
- *soulignez le nom ou le pronom avec lequel ils s'accordent*
- *indiquez s'il s'agit d'un adjectif épithète, d'un adjectif détaché, d'un attribut du sujet ou d'un attribut de l'objet.*

1.   Une fête populaire au son des clarines et à la lueur des flambeaux qui, quand la nuit tombe, guident les derniers courageux.
2.   Cette juriste de 39 ans est devenue présidente par intérim.
3.   Perdue au fin fond d'un désert minéral, à 1'000 km de la capitale du Chili, la ville d'El Salvador vit exclusivement du cuivre.
4.   Epuisés, ils ont discuté pendant des heures, avant de choisir de suspendre l'accueil et les inscriptions
5.   A l'arrivée, tous les coureurs semblaient particulièrement heureux d'avoir participé à cette première édition même s'ils ont tous admis que cette course était très exigeante.
6.   Nouveau revers : mardi 1er octobre, le juge les a trouvées insuffisamment motivées et les a rejetées en bloc.

7. Amaigri dans son costume gris clair, un ruban rouge à la boutonnière de son veston, le teint hâlé, il a dédaigné les chaises qui l'auraient placé juste face à la cour et dos à ses codétenus.
8. Moshe Péri, la quarantaine, a le visage et les poings fermés.
9. Libre, Maurice Papon s'était donc défendu.
10. Pour ne rien arranger, le voici ligoté par le vote du comité central.

Exercice 2 : Corrigez s'il y a lieu les phrases ci-dessous.

1. Les dossiers étaient devenu lourd à porter, de plus en plus encombrant, ils sont sur le point d'être réglé.
2. Sans doute à cause de la chaussée rendue glissant par la pluie tombée en fin de nuit, la conductrice a perdu le contrôle de son véhicule.
3. Satisfait, mais plus mesuré, les ministres recommandent à la France et aux Etats-Unis de ne plus regarder en arrière ce qui les a divisés.
4. C'est évidemment l'occasion de revoir l'orthographe et la syntaxe française, explique l'organisateur du concours.
5. Cette vache est assez rustique pour prospérer dans des pâturages relativement pauvre, assez féconde pour donner un veau par an pendant des années, assez docile pour faire le bonheur de son éleveur.
6. Seul quelques trains de nuit devraient être supprimé.
7. Nous, on est abattu, dépité, on se sent impuissant.
8. Amplement décolleté et court vêtu : telle est la femme que l'on rencontre, chaque soir ou presque, en se promenant d'une chaîne à l'autre sur la télévision italienne.

Exercice 3 : Accordez les mots entre parenthèses.

1. _____ (Isolé) sur le plan _____ (diplomatique), _____ (menacé) à l'intérieur par l'opposition qui a retrouvé une unité _____ (oublié) depuis longtemps, les autorités espèrent s'en sortir en remplissant les exigences de la communauté _____ (international).
2. Durant cinq _____ (bon) heures, tous ont participé à la danse et s'en sont trouvés _____ (ravi).
3. L'Italie s'est avérée _____ (un des plus fervents alliés) du président américain George Bush en Europe.
4. A la Bourse de Paris, les investisseurs _____ (étranger) se sont révélés plus _____ (prudent) que leurs homologues _____ (français).
5. _____ (Placé) au cœur de la troisième semaine de course, les trois étapes _____ (alpestre) s'annonçaient _____ (redoutable) pour les organismes des cyclistes.
6. Je suis heureux parce que les otages sont rentrés _____ (sain et sauf).
7. La Croix-Rouge a été _____ (mobilisé) la nuit et le jour _____ (suivant) pour distribuer des tests d'alcoolémie.
8. Un costume pour homme – veste et pantalon_____ (noir) – à 125 euros.
9. Il n'y a pas de quoi rendre _____ (malade) petits enfants, instituteurs et gardiens.
10. Le président et le ministre _____ (invité) ont exposé deux visions totalement _____ (différent) du rôle de leur parti au sein de la majorité.

6.   Le participe présent et l'adjectif verbal

> Hier, la ville de Londres s'est débarrassée des nuages <u>menaçants</u> *emplissant* son ciel.

La phrase ci-dessus contient un participe présent invariable (*emplissant*) et un adjectif verbal (<u>menaçants</u>) qui s'accorde en genre et en nombre avec le nom qu'il qualifie (*les nuages*, masculin pluriel).

> ➢ Le participe présent est invariable, l'adjectif verbal s'accorde.

1.   Participe présent

On est en présence d'un **participe présent** dans les cas suivants :

1.1. La forme en -*ant* est accompagnée d'un complément d'objet direct (a), d'un complément d'objet indirect (b), d'un adverbial (c, d) ou d'un autre complément du verbe (e, f).

   (a) Les citoyens ont été consultés sur une question **intéressant** <u>le pays entier</u>.
   (b) La candidate **répondant** <u>aux questions des journalistes</u> a fait grosse impression sur ses électeurs.
   (c) La jeune fille se leva et partit, **chantonnant** <u>doucement</u>.
   (d) J'ai supporté mes frères **hurlant** <u>à tue-tête</u> tout l'après-midi.
   (e) Les étrangers **vivant** <u>dans un pays membre de l'UE</u> et possédant un permis de séjour ont-ils besoin d'un visa pour effectuer une visite en Allemagne ?
   (f) Nous les avons vues **rentrant** <u>à la maison</u>.

1.2. La forme en -*ant* n'est pas accompagnée d'un complément d'objet direct, d'un complément d'objet indirect, d'un adverbial ou d'un autre complément du verbe, mais il est possible de la remplacer par « en train de + infinitif ».

   (a) Il entra dans son appartement et y trouva sa femme et ses enfants **dormant**.

   La phrase ci-dessus peut être reformulée : *Il entra dans son appartement et y trouva sa femme et ses enfants **en train de dormir***. Cela permet de distinguer des cas tels que :

   (b) La mission du robot est de tenir compagnie aux petits garçons **obéissant**. (> qui sont en train d'obéir)
   (c) La mission du robot est de tenir compagnie aux petits garçons **obéissants**. (> d'un caractère obéissant)

1.3. La forme en -*ant* est un verbe pronominal.

   (a) Les journalistes ont surpris ces acteurs **s'embrassant**.
   (b) Mes amis, imaginez ce que j'ai ressenti en vous voyant **vous haïssant**, **vous combattant** et **vous tuant** les uns les autres !

1.4. La forme en -*ant* est précédée de la préposition *en*. On est alors en présence d'un gérondif, invariable.

   (a) Malheureusement, ils ont violé la loi **en agissant** de la sorte.

(b) Trop souvent, on emprisonne la personne dans sa position de victime **en voulant** l'aider.

1.5. La forme en -*ant* est accompagnée d'un adverbe de négation.

(a) Ils erraient là, **ne sachant** que faire.
(b) La plupart des voisins en prenaient leur parti, **n'imaginant** même **pas** que l'on puisse se plaindre d'un juge !

1.6. La forme en -*ant* forme avec un groupe nominal une subordonnée (souvent causale).

(a) **La chance aidant**, il a gagné son impossible pari.
(b) **Mon amie sachant à quelle heure j'arrivais**, elle est venue m'attendre à la gare.

1.7. La forme en -*ant* est employée avec le verbe « aller ».

(a) Ce spéculateur prenait des risques qui **allaient croissant** avec le temps.
(b) Les stocks de pétrole, de gaz naturel, de charbon et d'uranium **iront diminuant**.

1.8. La forme en -*ant* est « soi-disant ».

(a) Les gendarmes l'ont retrouvé le soir au bar avec ses **soi-disant** copains, complètement saoul.
(b) Ses **soi-disant** problèmes métaphysiques ne m'intéressent pas du tout.

2. Adjectif verbal

Si aucun des cas décrits ci-dessus n'est valable, on est en présence d'un **adjectif verbal**, épithète (a), détaché (b) ou attribut (c), qui s'accorde en genre et en nombre avec le nom qu'il qualifie :

(a) Les circonstances **atténuantes** auraient dû être prises en considération.
(b) Des ministres, particulièrement **obéissants**, ont même choisi de s'effacer.
(c) Elle est joyeuse et **souriante** et elle rit chaque fois que quelqu'un la porte.

3. Différences orthographiques

Dans certains cas, l'adjectif verbal a une orthographe différente du participe présent correspondant. L'orthographe du substantif suit en principe celle de l'adjectif verbal.

Participe présent	Adjectif verbal	Substantif
adhérant	adhérent	l'adhérence
communiquant	communicant	
convainquant	convaincant	
convergeant	convergent	la convergence
différant	différent	la différence
divergeant	divergent	la divergence
équivalant	équivalent	l'équivalence
excellant	excellent	l'excellence
fatiguant	fatigant	
influant	influent	l'influence
intriguant	intrigant	
négligeant	négligent	la négligence

précédant	précédent	
provoquant	provocant	
somnolant	somnolent	la somnolence
suffoquant	suffocant	
violant	violent	la violence

Attention :

- Pour le verbe *exiger*, on trouve une forme unique *exigeant* pour le participe présent et l'adjectif verbal. Le substantif est *une exigence*.

- Pour le verbe *obliger*, on trouve une forme unique *obligeant* pour le participe présent et l'adjectif verbal. Le substantif est *une obligeance*.

Exercice 1 : Dans les phrases ci-dessous, soulignez les participes présents et entourez les adjectifs verbaux. Dans chaque cas, expliquez votre analyse.

1. Mercredi, quelques milliers de manifestants militant pour différentes causes sont descendus dans les rues de Londres.
2. Heureusement, je pense que dans cette histoire il est plus négligent que malintentionné.
3. On le conseille dans bien des cas où un effet calmant doux est recherché.
4. Nous nous sommes remis en question en nous demandant si certaines choses n'étaient pas bêtement choquantes.
5. Cela me fait penser à cet enfant qui, malgré la mise en garde de ses parents, continue à se balancer sur sa chaise, vous regardant droit dans les yeux, avec arrogance.
6. Les producteurs violant les règlements feront face à de sévères sanctions.
7. Malgré l'arrestation de deux suspects par les services de sécurité, le ministre de l'Intérieur demeure convaincu de l'existence de réseaux terroristes dormants dans son pays.
8. L'électricité produite par le projet alimentera quinze provinces situées dans le centre, l'est et le sud de la Chine, atténuant le manque d'électricité dans ces régions.
9. Nous adorons ses mélodies qui nous cajolent, ses refrains qu'on retient, son jeu de piano caressant et sa voix pure et sensuelle.
10. Ces derniers ont répliqué en utilisant leurs sprays au poivre, calmant rapidement la situation.

Exercice 2 : Corrigez s'il y a lieu les phrases ci-dessous.

1. Elle commence par dire: « Parler de soi est fatiguant. »
2. Ces véhicules ont toujours quelques problèmes, mais les ingénieurs ont fait des progrès étonnants ces dernières années.
3. Un strabisme divergeant, ça n'améliore pas les relations humaines.
4. La Bourse de New York a fini en forte hausse jeudi, poursuivant sa nette reprise entamée la veille.

5. Un précédant manuscrit avait été envoyé à Hervé Bazin, l'auteur de *Vipère au poing*.
6. Ces travaux manquants ont été pointés du doigt par de nombreux spécialistes comme un facteur probable de l'accident.
7. Deux autres aspects de ces sondages sont éclairant.
8. En s'échappant, la jeune femme est allée au commissariat de police pour porter plainte.
9. L'on a assisté à un spectacle désolant d'adultes et surtout d'enfants et de personnes âgées suffoquant de chaleur.
10. Il subsiste cependant la possibilité que cette littérature-là incite les jeunes à découvrir des ouvrages plus rares, plus exigents.

Exercice 3 : Déterminez s'il faut un participe présent ou un adjectif verbal, et faites les accords nécessaires.

1. En attendant l'azur, le soleil a percé hier, rendant l'air (ou son absence) encore plus (suffoquer) _____ .

2. Depuis quelques jours, les tractations se précisaient, les deux parties (redoubler) _____ d'efforts pour éviter une crise aussi grave qu'au Kenya.

3. « Elle nous a appelés, catastrophée, nous (imaginer) _____ au bord de la faillite », se souvient Rupert, son mari anglais.

4. Ils ont été pris de panique après des rumeurs (vouloir) _____ qu'un kamikaze était sur le point de faire exploser sa bombe.

5. La jeune femme a dû attendre une météo (concilier) _____ pour mettre le cap vers Saint-Malo.

6. Le libéro Pierre-Alexis Lapointe a été égal à lui-même en (exceller) _____ tout au long de la compétition.

7. Un artiste danois, auteur de projets spectaculaires et (provoquer) _____, est en route vers le sommet du Mont-Blanc pour y déverser de la peinture rouge et établir un Etat indépendant, a-t-il déclaré lundi à l'AFP.

8. Des dizaines d'habitations soi-(dire) _____ sinistrées se trouvaient, vérification faite, à des adresses fictives.

9. Par ailleurs, il faudra répondre aux besoins en eau de notre population qui vont (augmenter) _____ .

10. Plus de 10'000 bouteilles sont exposées, (représenter) _____ environ 3'000 vins (différer) _____ .

7.   L'accord du verbe

De cette maladresse *surgit* pourtant <u>une magie enfantine.</u>

La phrase ci-dessus contient un verbe (*surgit*) qui s'accorde avec le sujet de la phrase (<u>une magie enfantine</u>).

> ➢ Le verbe s'accorde en personne et en nombre avec le sujet de la phrase.

1.   L'accord d'un verbe qui a un seul sujet

1.1. Place du sujet

La difficulté principale se trouve dans le repérage du sujet. Celui-ci peut être placé à différents endroits même si, en général, on le trouve devant le verbe. Il peut être nominal ou pronominal.

(a) <u>La grève déclenchée le 21 mars</u> **prendra** fin ce matin.
(b) La position que **prendra** <u>la France</u> à travers son référendum aura pour nous une signification très importante**.**
(c) Comme <u>vous</u> l'**avez vu**, la pelouse était recouverte de neige.
(d) A quelles conditions **accepterez**-<u>vous</u> de vous rallier au candidat arrivé en tête au soir du premier tour ?

1.2. Sujet pronominal

Attention : quand le verbe est précédé d'un pronom personnel, il ne s'agit pas toujours du sujet. Il faut alors chercher un autre sujet nominal ou pronominal.

(a) <u>Ça</u> *vous* **épate** ou vous vous y attendiez ? (vous = COD)
(b) <u>Le président</u> *nous* **confiait** qu'il était heureux de voir tant de monde. (nous = COI)

Le verbe *être* précédé du pronom *ce* s'accorde à l'écrit avec le sujet sémantique : *c'est* est suivi d'un groupe nominal singulier (*c'est notre affaire*) et *ce sont* d'un groupe nominal pluriel (*ce sont des espions*). Les pronoms personnels *nous* et *vous* sont précédés de *c'est* (*c'est nous*) ; *eux* et *elles* sont précédés de *ce sont* (*ce sont eux*).

(c) **C'était** <u>un individu peu bavard.</u>
(d) **Ce sont** <u>les automobilistes </u>qui doivent s'adapter aux piétons et pas le contraire.

Quand le sujet est le pronom relatif **qui,** le verbe s'accorde avec l'antécédent.

(e) <u>Des retrouvailles</u> qui **sonnent** la fin de trois mois de travaux de rénovation intérieure.
(f) C'est <u>la décision </u>qui **a été prise** hier en bureau d'adjoints.
(g) C'est <u>moi</u> qui **suis** visé !

1.3. Sujet collectif

Un nom collectif est un nom qui, même au singulier, désigne un groupe, un ensemble de personnes ou de choses. Il est souvent suivi d'un complément du nom au pluriel (*un groupe d'enfants ; une succession d'événements*).

On accorde le verbe au singulier

- si le nom collectif n'est pas suivi d'un complément.

(a) <u>La foule</u> **s'est précipitée** en masse vers l'escalier unique qui mène à la principale sortie.

(b) <u>Le groupe</u> **a pris** confiance en ses moyens et **gagne** aujourd'hui des matchs qui auraient peut-être été perdus il y a un an.

- en général, lorsque le collectif est précédé d'un déterminant défini, possessif ou démonstratif.

(c) <u>L'immense majorité</u> des adhérents **considère** que le référendum sur le traité constitutionnel aura pour véritable question « êtes-vous contre le néolibéralisme ? ».

(d) <u>Mon équipe</u> **aurait** même **dû** marquer le double de buts.

(e) <u>Cette équipe</u> de joueurs de seconde zone **surprend** tout son monde grâce à un état d'esprit excellent.

- lorsque le collectif est précédé d'un déterminant indéfini et qu'on insiste sur l'aspect global.

(f) <u>Une multitude</u> de concurrents m'**entoure**. (> une masse indéfinie m'entoure)

On accorde le verbe au pluriel

- lorsque le collectif est précédé d'un déterminant indéfini et qu'on pense plutôt à l'aspect d'accumulation de chaque objet ou personne pris individuellement.

(g) Le soir, <u>une foule de jeunes</u> **jettent** des pierres sur les voitures dans l'avenue principale, provoquant la panique. (> des jeunes jettent des pierres)

- après *la plupart ; le plus grand nombre ; la plus grande partie* suivis d'un complément du nom au pluriel.

(h) <u>La plupart des parties civiles</u> **condamnent** cette décision.

- après une fraction (*un quart ; la moitié*), ou un nom numéral (*une douzaine ; une quinzaine*) suivi d'un complément du nom au pluriel.

(i) Il faut aussi dire que <u>la moitié des musées bretons</u> **ont été rénovés** depuis dix ans ou moins.

- la plupart du temps, après les déterminants quantitatifs *assez de ; beaucoup de ; trop de ; peu de* suivis d'un complément du nom au pluriel.

(j) Au Moyen âge, <u>beaucoup de gens</u> ne **savaient** pas lire.

(k) Mais <u>trop de victimes</u> se **présentent** encore sans avocats.

2. L'accord d'un verbe qui a plusieurs sujets

2.1. Sujets de personnes différentes

Sujet :	3ème personne sg./pl.	+ 2ème personne sg./pl.	>	*Verbe :*	2ème personne pl.
Sujet :	3ème personne sg./pl.	+ 1ère personne sg./pl.	>	*Verbe :*	1ère personne pl.
Sujet :	2ème personne sg./pl.	+ 1ère personne sg./pl.	>	*Verbe :*	1ère personne pl.

(a) Cependant <u>ta mère et toi</u> **devez** aller au commissariat déposer plainte.

(b) <u>Mon mari et moi</u> **souhaiterions** quitter notre région.

(c) <u>Toi et moi</u>, nous **poursuivrons** ce même chemin.

2.2. Sujets coordonnés par *ou* ou par *ni*

Le verbe s'accorde au pluriel si les deux éléments s'additionnent.

(a) <u>Ni elle ni Mireille</u> ne **sont** dupes quant à l'enjeu de l'élection.

(b) Le diagnostic est d'autant plus plausible que <u>son père ou sa mère</u> **sont** des migraineux notoires.

Le verbe s'accorde au singulier, avec le sujet le plus rapproché, si l'un des deux termes exclut l'autre (c ; d ; e), si le deuxième sujet englobe le premier (f) ou si le deuxième terme, en apposition, apporte une précision par rapport au premier (g).

(c) J'aurai encore moins de temps quand <u>mon fils ou ma fille</u> **viendra** au monde. (> un seul enfant naîtra, soit une fille soit un garçon)

(d) Les événements font que <u>la souffrance ou la joie</u> l'**emporte.** (> soit l'un, soit l'autre des sentiments ; mais ça ne peut pas être les deux à la fois)

(e) <u>Ni la vie ni la mort</u> des autres ne **préoccupait** quiconque. (> soit l'une, soit l'autre des situations ; mais ça ne peut pas être les deux à la fois)

(f) <u>Aucun parti ni organisation</u> ne **participera** à la conférence. (> le terme « organisation » englobe et dépasse le terme « parti »)

(g) <u>Le blé-seigle</u>, ou méteil, **est** le mélange qui domine dans toute la région. (> *méteil* est synonyme de *blé-seigle*)

2.3. Sujets coordonnés par *ainsi que, comme, avec, de même que*

Le verbe s'accorde au singulier quand le terme introduit par la conjonction est subordonné ou comparé au premier. Dans ce cas, le second terme est détaché du premier par une virgule.

(a) <u>Le président</u>, comme son ministre, n'**a** jamais **admis** qu'un quelconque blâme puisse remonter jusqu'à lui.

(b) <u>Cette chambre</u>, ainsi que l'autre, **est** située sur une cour intérieure et **est** donc à l'abri des bruits de la ville.

Le verbe s'accorde au pluriel quand le mot de liaison a le sens de *et*. Dans ce cas, il n'y a pas de virgule.

(c) <u>La rotative de Chassieu ainsi que celle de Saint-Etienne</u> **vont** être remplacées par un matériel neuf, ultra performant.

(d) <u>La gauche comme la droite</u> **ont choisi** à ce moment-là de condamner le Front National.

(e) <u>La France de même que l'Union européenne</u> **ont fait** passer ce message sans ambiguïté aux autorités israéliennes.

Exercice 1 : Dans les phrases ci-dessous, soulignez le sujet, puis entourez le ou les éléments précis avec le(s)quel(s) le verbe est accordé.

1. Une douzaine de taxis sont stationnés en file indienne dans l'attente de clients potentiels.

2. Aussi cherchent-ils à renforcer leur base dans l'Archipel.

3. L'immensité des territoires a poussé en 1928 un médecin à créer ce système d'intervention pour secourir les populations éloignées des villes.

4. Ni débat contradictoire ni face à face n'ont eu lieu entre ces deux principaux candidats.

5. Selon ce document, près de 80 % des demandeurs ont été ou seront déboutés.

6. Le pourcentage de bulletins dépouillés est en effet calculé à partir d'estimations sur le taux de participation et non d'un décompte exact.

7. Cette découverte pourrait donc expliquer pourquoi un tout petit pourcentage de personnes séropositives vivent très longtemps sans jamais développer le sida.

8. « Les vrais courageux, ils sont en face de vous », lui rétorqua un salarié.

9. Heureuse épouse à qui un mari dit en rentrant : « Je me suis disputé avec un collègue, je suis furieux... les enfants et toi n'avez pas intérêt à me déranger ». Elle sait à quoi s'en tenir !

10. Le bruit, ou plus précisément l'excès de bruit, constitue une des principales nuisances des Européens.

Exercice 2 : Corrigez s'il y a lieu les phrases ci-dessous.

1. L'audiovisuel est donc une spécialité de cet établissement et un tiers des lycéens choisit cette option dès la seconde.

2. Sur l'eau, les nombreux bateaux météo et ceux qui accompagne les *Class America* sont équipés de moteurs à quatre temps, moins polluants que les modèles à deux temps.

3. Côté compétitions, pas moins de 200 danseurs viendront présenter leurs prestations devant le jury.

4. Peu de communes souffre en réalité d'une réelle marginalisation, mais il existe des insuffisances.

5. L'avion, comme un gros oiseau blessé, glissent sur l'eau à toute vitesse.

6. Au delà de cette caricature, l'homme comme la femme est appelé à une plus grande attention mutuelle.

7. Sa vie et son œuvre montre quelle aventure humaine il a vécue et à quel point son combat pour la liberté a marqué toute son existence.

8. Les maladies que soignent le citron sont nombreuses, il soigne les plaies infectées, le rhume du cerveau, la sinusite angine…

9. L'élève ainsi que le professeur peut visualiser après coup et en détail les calculs qui ont été faits (et de deux façons différentes).

10. La plupart des musées a rouvert ses portes dimanche.

Exercice 3 : Conjuguez les verbes entre parenthèses au temps indiqué.

1. Ni l'usure du temps, ni la force, ni l'argent, ne (*venir*, futur) _____ à
    bout de sa détermination à bâtir un Etat libre, respecté et doté des moyens de la
    souveraineté.

2. Trop de souffrance (*provoquer*, ind. présent) _____ la haine.

3. Il craint même pour son emploi parce que visiblement un tas de gens (*penser*, ind.
    présent) _____ à se reconvertir dans le comique.

4. « C'est de trouver un premier métier qui est dur pour nous », (*rétorquer*, passé simple)
    _____ l'un de ses interlocuteurs.

5. C'est pourtant le défi que (*aller*, ind. présent) _____ relever les 25
    concurrents de la deuxième Transe Gaule, course à pied d'ultramarathon.

6. « Ce n'est pas moi qui (*être,* ind. présent) _____ avec eux, c'est eux qui
    (*être,* ind. présent) _____ avec moi. » Il fallait y penser !

7. Faute d'initiatives, la plupart des actions (*se dérouler,* imparfait) _____
    en milieu de terrain.

8. J'espère que ton frère et toi ainsi que toute ta famille (*passer,* ind. présent)
    _____ un bon Noël.

9. L'Assemblée générale des Nations unies (*se donner,* ind. présent) _____
    pour objectif prioritaire de réduire de moitié la proportion de la population qui
    (*souffrir,* ind. présent) _____ de la faim dans le monde.

10. Après avoir affirmé : « Le Pen et nous (*avoir,* ind. présent) n' _____ rien
    à voir », M. Raffarin a précisé : « Nos adversaires, ce ne (*être,* ind. présent)
    _____ pas les électeurs de Jean-Marie Le Pen mais ses idées. »

8.   La formation du participe passé

> Le dossier était *devenu* lourd à porter, de plus en plus encombrant, mais il est sur le point d'être *réglé*.

La phrase ci-dessus contient deux participes passés (*devenu* et *réglé*).

> ➢ Le participe passé est formé du radical du verbe, suivi d'une désinence qui dépend de la conjugaison du verbe.

1.   **Verbes en -*er***   > -*é*   (*aimer* > *aimé*)

(a) Les enquêteurs ont également établi qu'il était **lié** au groupe de Francfort, **démantelé** en décembre 2000 et **soupçonné** d'avoir **projeté** un attentat contre le marché de Noël et la cathédrale de Strasbourg.

2.   **Verbes en -*ir***   > -*i*   (*finir* > *fini*)
                             > -*is*   (*acquérir* > *acquis*)
                             > -*u*   (*courir* > *couru*)

(a) Le chauffeur est **sorti** indemne de l'accident.
(b) Les 25 élèves ont **conquis** leur public en récitant les poèmes qu'ils avaient composés.
(c) Le syndicat a **tenu** hier soir sa première réunion depuis sa création en septembre.

3.   **Verbes en -*ire***   > -*i*   (*rire* > *ri*)
                              > -*it*   (*écrire* > *écrit*)
                              > -*u*   (*lire* > *lu*)

(a) Les précipitations de mai et début juin n'ont pas **suffi** à remplir des nappes phréatiques en déficit après un hiver sec.
(b) Un jour il m'a **dit** qu'un homme voulait me parler.
(c) En République tchèque, le chef de l'Etat est **élu** par les deux Chambres du Parlement.

4.   **Verbes en -*oir***   > -*u*   (*voir* > *vu*)
                              > -*is*   (*asseoir* > *assis*)

(a) Je pense qu'Élodie a **su** trouver les mots au lieu de s'en tenir à son cours.
(b) La pièce où il est **assis** est envahie par la pénombre.

5.   **Verbes en -*re***   > -*u*   (*croire* > *cru*)
                             > -*i*   (*suivre* > *suivi*)
                             > -*is*   (*prendre* > *pris*)
                             > -*é*   (*naître* > *né*)

(a) L'un de ses responsables s'était **rendu** précipitamment à Bruxelles.

(b) Pour mémoire, il avait été **poursuivi** en justice par l'industrie du disque pour piratage.

(c) Nous avons été **mis** devant le fait accompli !

6. **Auxiliaires**   *avoir > eu*
                         être > été

7. **Cas particuliers :** participes terminés par une consonne au masculin : *clore > clos ; craindre > craint ; faire > fait ; joindre > joint ; mourir > mort ; offrir > offert ; ouvrir > ouvert ; peindre > peint ; souffrir > souffert*, etc.

Exercice 1 : Dans les phrases ci-dessous, soulignez une fois les infinitifs dont le participe est en -é, deux fois en -i, -is, ou -it, et entourez les autres cas.

1. Nous sommes le premier groupe à pouvoir proposer l'ensemble des services de maintien à domicile.
2. Nous allons vivre une année de transition tout en essayant de faire du mieux possible.
3. Elle devra aussi promouvoir et « vendre » les trois zones d'intérêt régional qui viennent de se créer dans le département.
4. J'étais obligé de mentir à la caissière, de dire que j'avais oublié mes lunettes...
5. Une campagne, cela devrait permettre aux candidats de se faire connaître et convaincre les électeurs d'appuyer leurs propositions.
6. Il y a de plus en plus de contraintes et l'on voit nos capacités d'agir se restreindre.
7. C'est une décision qui peut valoir aux maires concernés de comparaître devant le tribunal administratif.
8. Ses complices l'admirent pour sa capacité à organiser des réseaux partout dans le monde et à corrompre les dirigeants politiques colombiens.
9. Nous n'allons pas revenir sur cette décision.
10. On croise l'un des jardiniers, qui vient de cueillir son bouquet du matin.

Exercice 2 : Corrigez s'il y a lieu les phrases ci-dessous.

1. De toute façon, je n'avais pas vraiment défit mes valises.
2. Il s'agissait d'un mélange de farine de germe de blé et d'orge moudu, d'eau, d'éthanol et d'acétone.
3. Le XVIIIe siècle a correspondu au libéralisme générateur du capitalisme.
4. De nombreux efforts ont été entrepris depuis quatre ans.
5. Un engagement qui lui a peut-être valus la clémence du tribunal.
6. Les deux premières équipes ont offers un spectacle de toute beauté.
7. Certes, il était bien vêti, s'exprimait fort bien et présentait des documents a priori inattaquables.
8. Dans le discours, très attendé, qu'il a prononcé à l'occasion de son anniversaire, le monarque ne s'est pas contenté de se féliciter des résultats obtenuts.
9. Nous avions craint l'entrée de l'Espagne et du Portugal, et même s'il est vrai que les fruitiers en ont parfois souffert, nous vendons vers ces pays beaucoup plus qu'avant.
10. Lors de la finale, tous les enfants ont recevu une médaille et ont pu participer à une grande fête animée par les Docteurs Clowns déguisés en gendarmes.

Exercice 3 : Donnez le participe passé des verbes entre parenthèses.

1. Nous avons (ouvrir) _____ 60 magasins cette année et (investir) _____ dans de nouvelles marques.

2. Si le problème n'est pas (résoudre) _____, les cours devraient cesser aujourd'hui à la même heure.

3. Il est (naître) _____ en 1901 dans l'une des familles les plus riches du Salvador.

4. L'administration avait en effet (rompre) _____ ses engagements.

5. Le réalisateur de comédies populaires et de films en costumes est (mourir) _____ vendredi, à Neuilly-sur-Seine, des suites d'un cancer.

6. Je n'ai jamais (sentir) _____ de défiance à mon égard.

7. Bien entendu, il lui est (interdire) _____ de commercialiser son eau-de-vie.

8. Le magistrat est surtout connu pour avoir (instruire) _____ l'affaire du petit Grégory Villemin pendant deux ans.

9. De leur côté, les médecins ont (conclure) _____ qu'elle se trouvait dans « un état végétatif permanent ».

10. Il est entré dans la postérité dans la mesure où il a (battre) _____ une légende vivante.

## 9.	L'infinitif et le participe passé

> Après avoir *réussi* à <u>débrancher</u> le système d'alarme, les cambrioleurs ont *relevé* le rideau métallique *situé* sur un des côtés du magasin.

La phrase ci-dessus contient un verbe à l'infinitif (<u>débrancher</u>) et trois participes passés (*réussi, relevé* et *situé*).

> ➤ Il faut veiller à ne pas confondre un infinitif en *-er* et un participe passé en *-é*.

### 1.	Utilisation du participe passé

1.1. Valeurs verbales

- Le participe passé sert à former, avec les auxiliaires *être* ou *avoir,* les temps composés des verbes.

(a)	Le médecin scolaire **avait livré** un verdict définitif.
(b)	Un obus de mortier **est tombé** vers 7 heures 45 dans le parking d'un grand hôtel de Bagdad.

- Associé à l'auxiliaire *être*, il forme le passif des verbes transitifs.

(c)	Avec ce référendum, quel que soit le résultat, vous **serez obligés** de suivre la base.

- Accompagnant un groupe nominal, le participe passé peut aussi être employé sans auxiliaire dans le cadre d'une proposition participiale à valeur temporelle ou causale.

(d)	Le stage **terminé**, ils ont rallié directement Genève afin de prendre l'avion pour Vilnius, la capitale lituanienne.

1.2. Valeurs adjectivales

- Employé sans auxiliaire, le participe passé est assimilable à l'adjectif, qu'il soit épithète (a), détaché (b) ou attribut (c) (voir p. 24s.).

(a)	Les sauveteurs étrangers **arrivés** ces derniers jours en Algérie se disent frappés par cette foi profonde.
(b)	**Epuisée**, elle rentre à Vannes, avec son époux qui l'épaule depuis toujours dans son parcours du combattant.
(c)	« J'étais **fâché** avec l'humanité entière ! »

- Dans un groupe prépositionnel précédé d'un nom ou d'un pronom, on emploie le participe quand une reformulation à l'aide d'une proposition relative au passif est possible.

(d)	Je me disais chaque matin qu'un jour **de passé** était un jour **de gagné** pour le bébé. (> un jour *qui était passé* était un jour *qui était gagné* pour le bébé)

Attention : dans des constructions comme *le désir de voyager ; la peur de partir ; une machine à laver*, etc., on trouve un infinitif, car la reformulation avec une proposition relative au passif est impossible (*une machine à laver* > **une machine qui est lavée*) ; dans ces cas, le groupe prépositionnel est complément du nom qui précède.

2. Utilisation de l'infinitif

2.1 L'infinitif dans une proposition indépendante

- Dans une phrase interrogative sans sujet exprimé

(a) Que **faire** contre un gaz provoquant des cancers du poumon mais s'exhalant tout naturellement des sols depuis que la Terre est Terre ?

- Pour exprimer un conseil ou un ordre dans un mode d'emploi, une recette de cuisine, le code de la route, etc.

(b) Dans une jatte, **mélanger** la farine, le sucre, les œufs et le lait tiède.
(c) **Inscrire** sur l'enveloppe : "concours photo 2005 - Les pentes Vivantes" et **fournir** le nom et les coordonnées du participant.

2.2. L'infinitif précédé d'un semi-auxiliaire

Avec les semi-auxiliaires causatifs (*faire* et *laisser*), les semi-auxiliaires aspectuels (*aller* pour le futur ; *venir* pour le passé proche ; *commencer à ; se mettre à ; être en train de,* etc.) et les semi-auxiliaires modaux (*devoir ; pouvoir ; vouloir ; faillir*, etc.), on emploie l'infinitif.

(a) Le gouverneur, qui est un imbécile, *laisse* **passer** la belle, tandis que Napoléon observe la scène à la lorgnette.
(b) Dans un premier temps, nous *allons* **rencontrer** en entretien individuel la quarantaine de salariés touchés par un départ dès le mois de décembre.
(c) Il *est en train d'***écrire** son livre.
(d) Par le vote, les citoyens *peuvent* **changer** la société.
(e) Donc nous *voulons* **créer** pour toutes les familles un véritable droit à la garde des enfants de moins de 3 ans.

2.3. L'infinitif dans une proposition subordonnée

- Dans une complétive infinitive

L'infinitif peut être COD du verbe dont il dépend. Le sujet du verbe principal conjugué est également sujet du verbe à l'infinitif (coréférence).

(a) L'artiste *espère* **exposer** à nouveau l'an prochain en ces mêmes lieux.
(b) Plusieurs délégations syndicales et associatives *souhaitaient* **exprimer** leurs revendications.
(c) « J'*aime* aussi **écouter** de la musique et **rêver** éveillée. »

Il peut également être COI du verbe dont il dépend. Le sujet du verbe principal conjugué est également sujet du verbe à l'infinitif (coréférence).

(d) Ludwig lui-même *songea*, un temps, **à devenir** chef d'orchestre.
(e) Les plus déçus *parlaient* **de se trouver** un emploi ailleurs.

Certains verbes ont une construction où le sujet de l'infinitive n'est pas le même que le sujet du verbe principal. C'est le cas notamment des verbes de perception (*entendre ; voir ; sentir, etc.*) ou de mouvement (*emmener ; envoyer ; conduire, etc.*).

(f)   Le leader du championnat *a senti* **passer** le vent du boulet.

(g)   Les commanditaires *avaient envoyé* le terroriste **s'entraîner** sur des simulateurs de vol de Boeing à Minneapolis.

(h)   Avant le vote, le ministre des Affaires étrangères *avait* vivement *encouragé* les députés **à dire** oui.

- Dans une interrogative indirecte

(i)   Je ne sais plus quoi **faire**.

- Dans une subordonnée relative

(j)   La pièce n'a rien d'une luxueuse suite, mais ils ont au moins un toit, un lit où **dormir**.

3.   Détermination de la classe du mot

3.1. On peut savoir qu'il s'agit d'un infinitif en le remplaçant par un infinitif d'une autre conjugaison.

(a)   Les dirigeants d'Estonie et de Lituanie refusent d'**aller** à Moscou. (> *de se rendre*)

3.2. On peut savoir qu'il s'agit d'un participe passé en le remplaçant pas un participe passé d'une autre conjugaison ou par un adjectif.

(a)   Le stage s'est **terminé** hier, après 96 heures de formation. (> *s'est fini*)
(b)   Il était **terrifié**, comme s'il savait qu'il allait être tué. (> *inquiet*)

Exercice 1 : Corrigez s'il y a lieu les phrases ci-dessous.

1.   Je me vois bien joué jusqu'à 33 ou 34 ans.
2.   On sait que les artistes attachés au roi ont dessiner de nombreux modèles destiner aux ébénistes.
3.   Et cela a bien failli nous décourager, face à l'ampleur des travaux qui nous attendaient.
4.   Chalets et maisons sont livrés en kits ou monter.
5.   Fouetté fermement les 8 blancs d'oeufs en neige en y ajoutant une pincée de sel.
6.   Mais il faut essayer : faire ses semis est plus gratifiant qu'acheté fleurs et légumes déjà élevés.
7.   Notre production globale journalière vient de passer à 70 000 litres.
8.   A la fin des années quatre-vingt, on s'est mis a parlé des droits de l'enfant.
9.   Les diplomates étaient soulagés de voir la France et les Etats-Unis travailler ensemble.
10.   En effet, il peut être rembourser partiellement ou en totalité.

Exercice 2 : Ecrivez les mots, infinitif ou participe passé, dont vous avez la transcription en API.

1. [inoɡyʀe] _____ en 2000, la médiathèque permet la consultation de tous supports multimédia.

2. Ils doivent maintenant [epʀuve] _____ un grand soulagement.

3. Je préfère [kɔ̃poze] _____ pour l'orchestre symphonique, qui est un instrument fantastique.

4. « Je trouve que Gilles m'aide bien et, avec lui, j'ai appris à mieux [desine]_____. »

5. Le gouvernement voulait un tel système pour [asyʀe] _____ des missions critiques.

6. La majorité des manifestants sont ensuite rentrés se [ʀəpoze] _____ avant de se [mɔbilize] _____ à nouveau jeudi matin.

7. La semaine dernière, ils sont revenus pour huit jours [pʀepaʀe] _____ le spectacle sur place, et le [dɔne] _____.

8. Nous avons [ʀəfyze] _____ d' [apəle] _____ à [vɔte] _____ Chirac tandis que vous l'avez fait sans réserve !

9. Le sommet est en effet supposé [debuʃe] _____ sur la définition de la vision commune que se font les Arabes de la paix avec Israël.

10. [ʀəkʀɔkvije] _____ sur lui dans le box des accusés, il semble complètement [teʀɔʀize] _____ par son passage devant la cour d'assises du Jura.

10. L'accord du participe passé avec l'auxiliaire *être*

> La monarchie saoudienne est *restée* très discrète dans la campagne électorale.

La phrase ci-dessus contient le participe passé (*restée*) d'un verbe conjugué avec l'auxiliaire *être*, qui s'accorde en genre et en nombre avec le sujet du verbe (la monarchie saoudienne).

> ➤ Le participe passé des verbes conjugués avec l'auxiliaire *être* s'accorde en genre et en nombre avec le sujet.

1. Dix verbes intransitifs

Les formes composées des verbes suivants se construisent avec l'auxiliaire *être* : *aller ; arriver ; mourir ; décéder ; naître ; partir ; rester ; venir ; devenir ; apparaître.*

(a) Le premier soir, nous *sommes* **allés** dîner au restaurant.

(b) Quand les secours *sont* **arrivés**, le corps de la victime était couvert d'hématomes.

(c) Elles *sont* **mortes** après avoir perdu trop de sang.

(d) Deux conducteurs *sont* **décédés** hier matin dans la collision de leur véhicule.

(e) Ainsi *sont* **nées** les deux "chroniques" que le réalisateur présentera dimanche.

(f) Nous *sommes* alors **sortis** de la route, **partis** en tonneau et **revenus** sur nos roues.

(g) Je *suis* **restée** loyale, fidèle à l'entreprise et à ce que je suis, ce qui était important pour moi.

(h) Nous ne *sommes* pas **venus** demander quoi que ce soit aux Indiens.

(i) On ignore ce que *sont* **devenues** les victimes.

(j) Une de ces lueurs *est* **apparue** récemment, aux Etats-Unis d'Amérique avec l'élection de Barack Obama.

2. Quelques verbes dérivés

Un certain nombre de verbes dérivés des dix verbes ci-dessus se construisent également avec l'auxiliaire *être* : *revenir, repartir, intervenir, parvenir,* etc.

(a) Les entreprises *sont* **parvenues** à compenser bien des effets négatifs de la loi en négociant une plus grande flexibilité du travail.

(b) Hier matin vers 9 h 40, les pompiers *sont* **intervenus** pour un incendie qui venait de se déclarer dans un café.

Attention : les verbes *prévenir ; contrevenir ; convenir* et *circonvenir* se conjuguent avec l'auxiliaire *avoir.*

3. Verbes soit intransitifs soit transitifs

Les verbes *descendre ; monter ; passer ; entrer ; rentrer ; retourner ; sortir* et *tomber* se construisent avec l'auxiliaire *être* lorsqu'ils sont intransitifs, mais avec l'auxiliaire *avoir* lorsqu'ils introduisent un complément d'objet direct.

3.1. Construction intransitive

(a) Légitimement agacé, <u>l'automobiliste</u> *est* **descend<u>u</u>** de son véhicule pour réclamer des explications.

(b) Pendant plus d'une heure, <u>les comédiennes</u> *sont* **pass<u>ées</u>** d'un style à l'autre.

(c) Soupçonnés d'*être* **entr<u>és</u>** clandestinement au Japon, <u>ils</u> se retrouvent poursuivis par la police.

3.2. Construction transitive directe (avec un COD)

(a) Puis, ils *ont* **descendu** <u>un sentier de montagne</u> pour rejoindre leurs parents qui les attendaient dans une salle communale.

(b) Je suis un enfant de Toulouse qui *a* **passé** <u>quatre années merveilleuses</u> à Saint-Étienne.

(c) Durant une pause, l'homme de 60 ans, dont l'identité n'a pas été révélée, *a* **sorti** <u>un revolver.</u>

4. Passif

Les participes passés des verbes au passif s'accordent également en genre et en nombre avec le sujet.

(a) Du côté britannique, <u>les autorités</u> n'*ont* pas *été* **averti<u>es</u>** au préalable de la décision du département de la sécurité nationale américain.

(b) <u>Les deux hommes</u> *ont été* **vu<u>s</u>** s'engouffrant dans une voiture de marque Subaru dans laquelle les attendait un complice.

5. Verbes pronominaux

Tous les verbes pronominaux se conjuguent avec *être*, mais l'accord du participe passé obéit à des règles différentes (voir chapitre 14).

Exercice 1 : Soulignez dans les phrases ci-dessous l'élément avec lequel s'accorde le participe passé.

1. On ne va pas cesser d'aller dans des quartiers où les gens ont besoin d'être **entendus.**
2. Un grand flou règne aujourd'hui sur ce que sont **devenues** ces sommes accumulées depuis des années, qui se chiffrent en milliards d'euros.
3. Aujourd'hui, tout est **rentré** dans l'ordre.
4. Pourtant, lors de l'étude de personnalité, chacun de ces garçons est **apparu** comme un modèle de sa génération.
5. On est **tombés** sur un incompétent, je crois qu'il n'y a pas d'autres mots !
6. Dernièrement, le président est **sorti** de sa réserve pour tirer la sonnette d'alarme.
7. Les albatros eux-mêmes étaient à l'origine **mangés** par les requins.
8. Les plus belles lettres seront **lues** sur scène.
9. Ce destin commun a été **scellé** par le sang des Africains qui sont **venus** mourir dans les guerres européennes.
10. L'alerte a été **donnée** par un voisin de La Poste.

Exercice 2 : Corrigez s'il y a lieu les phrases ci-dessous, et soulignez l'élément avec lequel le participe passé doit s'accorder.

1. Voltaire, reviens, ils sont devenu fous !
2. Les résultats de cette nouvelle mesure ne sont pas apparu instantanément, mais on peut dire que l'opération a été un succès.
3. Ces prises de position ont été critiquées par la Commission européenne.
4. Les balcons seront construit de façon à supporter le poids d'un spa.
5. Nous sommes parti à la recherche des sources officielles.
6. Les grands cétacés, en revanche, sont décrit dans la littérature comme des monstres.
7. Le Moulin à images et le spectacle du Cirque seront présentés 57 fois chaque été, jusqu'à 2013.
8. C'est la solution qui a été imaginé par la communauté scientifique pour tenter d'atténuer les dérèglements climatiques à venir.
9. Nous sommes allé à la rencontre du chasseur.
10. Comme la veille, les indices de Wall Street sont restées dans le rouge toute la séance, dans un volume d'échanges extrêmement faible.

Exercice 3 : Complétez les phrases ci-dessous en conjuguant le verbe entre parenthèses au passé composé.

1. Après avoir blessé ces trois personnes, le jeune homme de 18 ans (retourner) _____ son arme contre lui, a expliqué une source policière.

2. En février, la BNS et UBS (convenir) _____ de ne pas transférer certaines catégories d'actifs.

3. A Strasbourg, les forces de police et de gendarmerie (intervenir) _____ en grand nombre.

4. Mercredi, quelques milliers de manifestants militant pour différentes causes (descendre) _____ dans les rues de Londres.

5. Il (apparaître) _____ le visage émacié, les cheveux grisonnants et la démarche difficile.

6. Sa femme, enceinte de jumeaux, (sortir) _____ de l'hôpital !

7. Ces dirigeants (ne pas tomber) _____ de la dernière pluie.

8. Avec cette rumeur, les journalistes (monter) _____ la tête à certains jeunes.

9. On ignore ce que (devenir) _____ les victimes.

10. Ainsi ce jour-là, la mère (rentrer) _____ dans le fast-food avec son garçon à la main.

11. L'accord du participe passé avec l'auxiliaire *avoir*

> Dans *la dernière lettre qu*'il a **écrite** à sa femme avant d'être assassiné, l'otage a **dit** sa foi inébranlable dans l'établissement de la vérité historique.

La phrase ci-dessus contient deux passés composés formés avec l'auxiliaire *avoir*. Le premier participe passé (**écrite**) s'accorde en genre et en nombre avec le complément d'objet direct (COD) qui le précède (*la dernière lettre*) ; le second participe passé (**dit**) reste invariable, parce que le COD est placé après (sa foi inébranlable dans l'établissement de la vérité historique).

> ➢ Le participe passé des verbes conjugués avec l'auxiliaire *avoir* s'accorde en genre et en nombre avec le complément d'objet direct (COD) lorsque celui-ci précède le verbe. Lorsqu'il n'y a pas de COD, ou lorsque celui-ci est placé après le verbe, le participe passé reste invariable.

1. Verbes transitifs

Les formes composées de tous les verbes transitifs (directs et indirects) se construisent avec l'auxiliaire *avoir*.

(a) Au départ, le secteur <u>nous</u> *a* **vus** comme une menace, aujourd'hui les choses changent. (> trans. direct)

(b) Le joueur souffrait d'<u>une infection qu</u>'il *avait* **ressentie** plus tôt dans le match. (> trans. direct)

(c) Cette loi interdit à tout fonctionnaire de travailler pour <u>une entreprise qu</u>'il *a* **surveillée**, avec laquelle il *a* **conclu** <u>un contrat</u> ou <u>qu</u>'il *a* **conseillée** sur ses opérations, dans les trois ans précédant son départ. (> tous trans. direct)

(d) Je ne <u>lui</u> *ai* pas encore **parlé**. (> trans. indirect)

(e) J'*ai* **obéi** <u>aux ordres de mon chef</u>. (> trans. indirect)

2. Verbes intransitifs

Les verbes intransitifs (sauf *aller ; arriver ; mourir ; décéder ; naître ; partir ; rester ; venir ; devenir* et *apparaître*) se construisent également avec l'auxiliaire *avoir*.

(a) En effet plusieurs centaines de personnes *ont* **dormi** dans leur voiture, faute de tentes en nombre suffisant.

(b) Je ne pleure pas et je n'*ai* jamais **pleuré**.

(c) Il *a* **couru** nu dans les rues de Paris.

3. Verbes soit intransitifs soit transitifs

Les verbes *descendre ; monter ; passer ; entrer ; rentrer ; retourner ; sortir ; tomber* se conjuguent avec l'auxiliaire *avoir* lorsqu'ils sont transitifs directs (voir chapitre 10).

4. Quatre verbes supplémentaires

Les formes composées des verbes suivants se construisent avec l'auxiliaire *avoir* : *avoir ;
être ; paraître ; sembler.*

   (a) De <u>tous les présidents</u> qu'*a* **eu<u>s</u>** la France, Nicolas Sarkozy est le plus franchement
       américanophile.
   (b) Leur conclusion unanime *a* **été** que l'Otan doit continuer à discuter avec la Russie.
   (c) Cela *a* **paru** une évidence pour 86% des votants qui ont dit « oui ».
   (d) La docte et universitaire assistance n'*avait* pas **semblé** particulièrement convaincue.

5. Verbes impersonnels

Les verbes impersonnels non pronominaux se construisent avec l'auxiliaire *avoir* (voir
chapitre 12).

   (a) Il *a* **fallu** seulement trois jours de délibération au jury pour rendre un verdict.
   (b) Il *a* **plu** toute la nuit, comme s'il fallait éteindre le brasier qu'était devenue la ville.
   (c) Le ministère de l'Intérieur a indiqué qu'il n'y *a* **eu** ni victime, ni dégâts matériels.

6. Constructions avec un COD devant le verbe

Dans les cas suivants, le COD précède le participe passé :

6.1. Le COD est un pronom relatif.

   (a) <u>Les premières bandes dessinées</u> que j'*ai* **lues**, c'étaient les *Bob et Bobette*.
   (b) Voici <u>les livres</u> que nous *avons* **reçus** et que nous vous recommandons.
   (c) C'est <u>toute une génération</u> que l'auteur *a* **décrite** dans son roman.
   (d) C'est <u>elle</u> que j'*ai* **vue** tout de suite dans le jardin ce matin.

6.2. Le COD est un pronom personnel clitique placé devant le verbe.

   (a) <u>Ils</u> ont été avertis, puis le directeur <u>les</u> *a* **rencontrés**.
   (b) <u>Ces gens</u>, vous <u>les</u> *avez* **entendus** lors de notre congrès.

6.3. Le COD est un syntagme ou un pronom placé devant le verbe dans une interrogation ou
     une exclamation.

   (a) <u>Quelles images</u> *a*-t-il **utilisées** ?
   (b) Aime-t-il vraiment <u>mes petites marionnettes</u> ? <u>Les</u> *a*-t-il **remarquées** en allant au
       théâtre ?
   (c) <u>Que de bêtises</u> *a*-t-on **écrites** sous prétexte de crise financière !

6.4. Si le COD est le pronom *en*, le participe passé est invariable (voir chapitre 13).

Exercice 1 : Dans les phrases ci-dessous, soulignez le cas échéant le COD et expliquez pourquoi le participe passé s'accorde ou non.

1. L'entreprise exige aussi un dédommagement en compensation des profits qu'*elle a perdus* depuis l'entrée en vigueur de la nouvelle loi.

2. La crise financière l'*a remis* en selle.

3. Des rumeurs *ont couru* sur sa retraite depuis quelques semaines.

4. Le chauffard *a* aussi *remis* au tribunal deux lettres d'excuses « qui viennent du fond du cœur » que le juge *a lues* attentivement.

5. Il *a eu* l'air interloqué, nous *a souri* et nous *a demandé* de rester calme.

6. Je t'*ai trouvée* tellement bien, c'était magnifique...

7. Les Verts *ont conquis* quatre sièges dimanche au Grand Conseil.

8. Ces cellules *ont résisté* parce qu'elles *ont acquis* une grande force de résistance grâce aux thérapies de choc quelles *avaient* antérieurement *subies*.

Exercice 2 : Corrigez s'il y a lieu les phrases suivantes, et soulignez le COD.

1. La vengeance n'a jamais résolue de problème : la peine de mort est barbare et sauvage.

2. Jeudi dernier, il a nié avoir entrepris des actions visant le régime marocain.

3. Mes amis m'ont mentis, ils m'ont dit que je pourrais trouver un bon travail.

4. La secrétaire les a accueilli.

5. Les filles ont été élevées par une femme et un homme adorables, qui les ont aimé plus qu'elles n'auraient jamais pu l'espérer.

6. Il faut que l'Etat de Genève effectue vraiment les investissements qu'il a prévu.

7. C'est marrant, la seule chose qu'on a gagné de ces élections, c'est qu'on a beaucoup ris.

8. Beaucoup de rescapés ont dormi sur des terrains de sport ou dans des stades.

9. Il a expliqué qu'il venait de faire un gros héritage : voici quels services on lui a proposé.

10. Dans les matchs disputés dimanche, la Suède a vaincue la Chine 6-1.

Exercice 3 : Soulignez le COD et complétez les phrases ci-dessous en conjuguant le verbe entre parenthèses au passé composé.

1. Le porte-parole (expliquer) _____ qu'un médecin sud-coréen (examiné) _____ les trois joueurs malades mais que leur état n'était pas sérieux.

2. Deux patrouilles de la gendarmerie (repérer) _____ la voiture du fuyard et l' (prendre) _____ en chasse.

3.   Les jours qui (suivre) _____ la macabre découverte, les proches de la victime (être interrogé) _____ par les enquêteurs de la brigade criminelle de Marseille.

4.   Mais les énormes difficultés qu'ils (rencontrer) _____ aujourd'hui montrent que le chemin qui les sépare du paradis est encore long.

5.   Les faits dont nous (parler) _____ ici sont distincts de ceux que nous (évoquer) _____ précédemment.

6.   On les (prier) _____ de participer à des activités très surveillées, et certains (être menacé) _____.

7.   Selon le magazine *People*, ce sont 500.000 $ que Madonna (donner) _____.

8.   Jamais de la vie je n' (penser) _____ gagner une médaille dans ce concours.

9.   Selon l'Organisation mondiale du tourisme (OMT), 924 millions de touristes (voyager) _____ dans le monde l'an passé soit une hausse de 2% en un an.

10. Les responsables du *Guinness Book* nous (demander) _____ de leur fournir un enregistrement de l'exploit supervisé par une personne responsable.

12. Le participe passé des verbes impersonnels

Les jours qu'il *a fallu* pour que ma fille retrouve un bon rythme après son hospitalisation !

La phrase ci-dessus contient un verbe impersonnel au passé composé (*a fallu*). Le groupe nominal qui se trouve avant le verbe (les jours, repris par le pronom relatif *qu'*) n'est pas un COD, c'est pourquoi le participe passé ne s'accorde pas.

> ➤ Le participe passé des verbes impersonnels est invariable, que ceux-ci soient conjugués avec *être* (le pronom impersonnel sujet *il* est masculin singulier) ou avec *avoir* (le verbe impersonnel n'a jamais de COD).

1. Verbes impersonnels

Les verbes impersonnels ont une conjugaison incomplète car seule la troisième personne du singulier existe. On trouve deux types de verbes impersonnels.

1.1. Les verbes climatiques : *il pleut ; il neige ; il vente ; il fait froid,* etc.

   (a) **Il a** beaucoup **plu**, et même **neigé**, cette semaine sur Monte-Carlo.

1.2. Les verbes de survenance (ou événementiels) : *il y a ; il advient ; il arrive ; il apparaît ; il faut ; il paraît,* etc. Ces verbes peuvent être suivis d'un groupe nominal, d'une complétive ou d'un infinitif.

   (b) **Il n'aura fallu** que deux scrutins fédéraux pour que l'UDC assoie son règne sur la République de Genève.

2. Pronom impersonnel et pronom personnel

Attention à ne pas confondre le pronom impersonnel *il* avec le pronom personnel. Le pronom impersonnel ne peut pas être remplacé par un syntagme nominal, alors que c'est possible pour le pronom personnel.

   (a) *Il* m'est arrivé quelque chose d'assez étrange aujourd'hui.
      (> **Un accident* m'est arrivé quelque chose d'assez étrange aujourd'hui.)
   (b) *Il* y a eu peu de demandes.
      (> **La dame* y a eu peu de demandes.)
   (c) Avec les orages qu'*il* a fait hier, vous imaginez la quantité d'eau !
      (> **Avec les orages que *le ciel* a fait(s) hier, vous imaginez la quantité d'eau !)

Mais :

   (a) *Il* est arrivé à midi.
      (> *Mon mari* est arrivé à midi.)
   (b) *Il* a eu une pensée particulière pour les victimes du tremblement de terre.
      (> *Le président* a eu une pensée particulière pour les victimes du tremblement de terre.)
   (c) Voici l'expérience qu'*il* a faite à cette occasion.
      (> Voici l'expérience que *mon collègue* a faite à cette occasion.)

Exercice 1 : Indiquez si le pronom sujet est personnel (P) ou impersonnel (I)

1. Il est tombé dans les escaliers de son hôtel à Istanbul.
2. Dans le jardin, la table indique la hauteur de neige qu'il est tombé.
3. Il m'est venu l'envie de manger du chocolat cet après-midi.
4. Il était venu de la ville voisine de Johnson City où il vivait avec sa mère.
5. Il m'a bien semblé qu'il s'était passé quelque chose.

Exercice 2 : Corrigez s'il y a lieu les phrases suivantes, et soulignez l'élément avec lequel le participe passé devrait s'accorder, le cas échéant.

1. Au fil des décennies qu'ils ont passé en Algérie, ils ont appris à mieux connaître l'Islam.
2. David Servan-Schreiber révèle qu'il a eue une tumeur au cerveau.
3. En effet, il nous a semblé nécessaire qu'un regard citoyen puisse être porté sur le fonctionnement de cette institution.
4. La moto nous a semblée être l'option la plus adaptée.
5. C'est son charisme, le tutoiement facile, sa sûreté sur les dossiers, tout à la fois, qui lui ont valus cette réputation haute en couleur.

Exercice 3 : Complétez les phrases ci-dessous en conjuguant le verbe entre parenthèses au passé composé et en précisant s'il s'agit d'un verbe personnel (P) ou impersonnel (I).

1. Comme il (pleuvoir beaucoup) _____, le pays a pu importer du courant hydroélectrique de Suède.
2. Ce qui s'est passé dimanche (ne pas plaire) _____ du tout.
3. Il (avoir) _____ le temps de parcourir à la fois l'Inde, le Bangladesh et le Pakistan.
4. Les acteurs humanitaires ont pris en considération les difficultés qu'il y (avoir) _____ à établir un consensus sur la situation humanitaire dans le pays.
5. Il a réaffirmé que toutes les déclarations qu'il (faire) _____ depuis le début de la crise avec les Etats-Unis étaient vraies.
6. Le journaliste explique cette difficulté par la tempête qu'il (faire) _____ sur Brest.
7. En six mois, j'ai pu me faire comprendre en anglais ; il m' (falloir) _____ trois ans pour faire des phrases en français.
8. Il m' (venir) _____ l'idée de vous tutoyer.
9. Il (venir) _____ passer un week-end mémorable en Haute-Loire.
10. Concernant la rentabilité, il nous (falloir) _____ un peu moins d'un an pour rembourser le capital investi.

13. Le participe passé et le pronom *en* complément d'objet direct

> Des fruits, vous pouvez en donner à votre enfant même s'il en a *mangé* le midi.

La phrase ci-dessus contient un participe passé invariable (*mangé*), car le complément d'objet direct du verbe *manger* est le pronom en.

> ➢ Le participe passé des verbes conjugués avec l'auxiliaire *avoir* est invariable si le complément d'objet direct (COD) est le pronom *en*.

1. Le pronom *en* complément d'objet direct

Le participe passé des verbes conjugués avec l'auxiliaire *avoir* est invariable quand le pronom *en* est COD.

(a) Des atrocités, on **en** a *vu* ailleurs. (> on a vu **des atrocités**)

(b) En fait ces machines existent bien, plusieurs de mes collègues pilotes d'avion **en** ont *observé*. (> ils ont observé **des machines**)

2. Autres fonctions du pronom *en*

Le pronom *en* peut avoir d'autres fonctions que celle de COD. Dans tous ces cas, les règles habituelles de l'accord du participe passé s'appliquent.

2.1. Le pronom *en* complément d'objet indirect (COI)

(a) Marie Cazeaux, sa mère, a mis un terme à sa carrière de comédienne pour s'occuper de sa famille après que son mari *l'***en** a persuadée.
(> son mari *l'*a persuadée (= *Marie Cazeaux*, COD placé avant le verbe avec l'auxiliaire *avoir* > accord avec le COD) **de mettre un terme à sa carrière** (= **en**, COI))

(b) Au cours de cette visite, le Ministre a tenu à souligner l'engagement des agents et *les* **en** a remerciés.
(> le Ministre *les* a remerciés (= *les agents*, COD placé avant le verbe avec l'auxiliaire *avoir* > accord avec le COD) **de leur engagement** (= **en**, COI))

2.2. Le pronom *en* complément du nom (CN)

(a) La chanson *Le Temps des cerises*, Mouloudji **en** a fait *une version* remarquable en 1959.
(> Mouloudji a fait *une version* (COD placé après le verbe avec l'auxiliaire *avoir* > invariable) **de la chanson *Le Temps des cerises*** (= **en**, CN))

(b) Le propriétaire fournira le logement conforme à la description *qu'*il **en** a faite et le maintiendra en état de servir.
(> *qu'* (= *la description*, COD placé avant le verbe avec l'auxiliaire *avoir* > accord avec le COD) il a faite **du logement** (= **en**, CN))

2.3. Le pronom *en* complément de l'adjectif

    (a) Mon mari repasse et il **en** est fier. (> il est fier **de repasser**)

    (b) 86% des Français sont conscients des risques potentiels liés à l'environnement et 80% **en** sont inquiets. (> ils sont inquiets **des risques**)

2.4. Le pronom *en* complément de provenance

    (a) Sinon, tous mes amis qui sont allés au Japon **en** sont revenus éblouis.
        (> ils sont revenus **du Japon** (complément de provenance) ; *revenus* : participe passé d'un verbe avec l'auxiliaire *être* > accord avec le sujet)

    (b) Visitant le parcours fribourgeois l'été dernier, **une délégation** des services concernés en *est repartie* emballée.
        (> la délégation est *repartie* **du parcours fribourgeois** (complément de provenance) ; *revenue* : participe passé d'un verbe avec l'auxiliaire *être* > accord avec le sujet)

Exercice 1 : Dans les phrases ci-dessous, indiquez si le pronom en *est complément d'objet direct (COD), complément d'objet indirect (COI), complément de l'adjectif (CA), complément de provenance (CP) ou complément du nom (CN).*

  1. Les déplacements des spectateurs qui accèdent au site et en repartent ont une incidence majeure.
  2. Et surtout vous en avez aimé la musique !
  3. Voilà, l'été indien est terminé et j'espère que vous en avez apprécié tous les bienfaits.
  4. Les mamans d'enfants précoces s'adressent aux instituteurs qui en ont eu dans leur classe.
  5. Les mauvaises conditions climatiques de cet hiver n'ont pas eu de conséquences trop graves sur les vergers, mais les vignobles en ont souffert.
  6. Si les Vaudoises sont 45% à avoir eu deux enfants, 19% d'entre elles n'en ont eu qu'un seul, 14% trois et 4% quatre et plus.
  7. Lisa a amélioré un peu plus de 55% des articles qu'elle a édités, alors que Bart n'en a même pas amélioré 36%.
  8. Un médecin en a installé un autre.
  9. Quant à l'Egypte, nous en avons abandonné l'idée, les "tracasseries" atteignant là un niveau que nous ne saurions accepter.
  10. Le belge Antoine Joseph Sax (1814-1894) a cherché inlassablement à perfectionner les instruments de musique, et plus particulièrement les instruments à vent ; il en a amélioré la justesse, la qualité de la sonorité ainsi que la facilité de jeu (il a déposé 33 brevets).

Exercice 2 : Corrigez s'il y a lieu les phrases ci-dessous.

  1. Suite à l'édition de leur quatrième album, nommé "New Jersey", et à la méga tournée qui en avait accompagnée la sortie, le groupe s'est accordé une pause.
  2. Les microfibres synthétiques, si Jean-Louis Etienne les a adoptées, il en a aussi observées les limites.

3. Des pays accueillaient auparavant des quotas de réfugiés ou en avaient accueillis massivement pour des raisons autant politiques qu'humanitaires.

4. Si l'Iran a commis de graves fautes initiales, qui ont été à l'origine de la crise, les Occidentaux en ont commises d'autres, qui ont contribué à l'alimenter.

5. Bien que rejetant l'idéologie hitlérienne, il en a admirée la formidable organisation et son efficacité.

6. Et pour me prouver que la Belgique fait de la bonne bière il m'en a apportés trois litres.

7. Heureux que ce texte existe, les enfants en ont revendiqué l'amélioration.

8. On parle souvent du virus Ebola, de nos jours, mais à l'époque, c'était resté top secret, au point qu'on ne cite même plus celui qui en avait découvert la première manifestation.

9. C'est grâce à sa petite sœur qu'Anne l'a appris ; en effet, c'est elle qui a vu la pub à la télé et l'en a avisé.

10. C'était tout à fait naturel et normal, comme d'ailleurs nous en avons rendu compte à nos partenaires.

Exercice 3 : Complétez les phrases ci-dessous en conjuguant le verbe entre parenthèses au passé composé.

1. Des causes, les experts-conseils en (défendre) _____ des centaines et cela leur donne une expertise unique.

2. Claude et Michel Barbaud parcourent à pied le Maroc depuis vingt-cinq années et en (photographier) _____ les hommes et les paysages.

3. C'est le fonctionnaire lui-même qui a soumis chaque relevé de dépenses et qui en (garantir) _____ l'authenticité.

4. En avril dernier, l'administration Obama a déclaré qu'elle était prête à révéler ces photos, suite à un jugement en faveur de l'*American Civil Liberties Union* (ACLU) qui en (exiger) _____ la publication.

5. Certains ont affirmé qu'il fallait absolument adopter une nouvelle législation contre le pourriel et en (suggérer) _____ les éléments.

6. Personne ne saura comment elle est arrivée là ni comment elle en (repartir) _____.

7. On les en (décharger) _____ en Picardie ; mais cela a encore lieu en Artois, et dans plusieurs autres coutumes des Pays-Bas.

8. Les autres n'en (réaliser) _____ qu'un seul.

9. Les parents ont manqué la rencontre avec les professeurs parce que Guillaume les en (avertir) _____ trop tard.

14. Le participe passé des verbes pronominaux

« Il n'y a que les petites gens qui paient des impôts », *s'était-elle vantée.*

La phrase ci-dessus contient le verbe pronominal **se vanter** au plus-que-parfait, conjugué avec l'auxiliaire *être* et dont le participe passé (*vantée*) s'accorde en genre et en nombre avec le sujet.

> ➢ Le participe passé des verbes pronominaux, toujours conjugués avec l'auxiliaire *être*, s'accorde selon des règles particulières qui dépendent de la construction du verbe et de la syntaxe de la phrase.

Trois cas de figure peuvent se présenter, que l'on considèrera dans l'ordre suivant :

1. Complément d'objet direct autre que le pronom réfléchi

Quand le verbe pronominal a un COD autre que le pronom réfléchi, le participe passé s'accorde selon les mêmes règles qu'avec l'auxiliaire *avoir*.

1.1. COD placé après le verbe

Quand le COD est placé après le verbe, le participe passé reste invariable.

(a) Quand je pars le matin sans m'être **peigné** *les cheveux*, j'ai mal aux cheveux toute la journée.
 (> j'ai peigné *les cheveux*, COD placé après le verbe > participe passé invariable)

(b) Les juges se sont **lavé** *les mains* du problème, ils n'ont pas voulu assumer leur responsabilité.
 (> les juges ont lavé *les mains*, COD placé après le verbe > participe passé invariable)

1.2. COD placé avant le verbe

Quand le COD est placé avant le verbe, le participe passé s'accorde avec le COD.

(a) Quand je pars le matin sans me *les* être **peignés**, j'ai mal aux cheveux toute la journée.
 (> *les* = *les cheveux*, COD (*peigner quelque chose*) placé avant le verbe > accord avec le COD)

(b) Les juges se *les* sont **lavées**, ils n'ont pas voulu assumer leur responsabilité.
 (> *les* = *les mains*, COD (*laver quelque chose*) placé avant le verbe > accord avec le COD)

2. Pronom réfléchi complément d'objet indirect

Quand le pronom – à valeur réfléchie ou réciproque – est COI et qu'il n'y a pas de COD placé avant le verbe, le participe passé reste invariable.

(a) J'ai toujours été curieux des choses étranges et des êtres bizarres que la nature s'est **plu** à inventer.

(> plaire <u>à quelqu'un</u>, COI sans influence sur l'accord du participe passé > participe passé invariable)

(b) Depuis 1983, quatre maires de différents bords politiques <u>se</u> sont **succédé** à Coslada.

(> succéder <u>à quelqu'un</u>, COI sans influence sur l'accord du participe passé > participe passé invariable)

(c) Jamais la France et l'Allemagne ne <u>se</u> sont autant **ressemblé** qu'en ce moment.

(> ressembler <u>à quelqu'un</u>, COI sans influence sur l'accord du participe passé > participe passé invariable)

3. Autres cas

Quand le verbe pronominal n'a ni pronom réfléchi COI ni COD autre que le pronom réfléchi, le participe passé s'accorde selon les mêmes règles qu'avec l'auxiliaire *être*.

(a) Quand <u>je</u> pars le matin sans *m*'être **peignée**, j'ai mal aux cheveux toute la journée.

1) pas d'autre COD du verbe ; 2) le pronom réfléchi n'est pas COI (**peigner à quelqu'un*) > accord avec le sujet

(b) <u>Elles</u> *se* sont alors **lavées**, se mettant au lit en peignoir, projetant de dire qu'elles s'étaient défendues d'une attaque de leurs patronnes.

1) pas d'autre COD du verbe ; 2) le pronom réfléchi n'est pas COI (**laver à quelqu'un*) > accord avec le sujet

(c) <u>Les deux frères d'Antigone</u>, Etéocle et Polynice, *se* sont **entretués**.

1) pas d'autre COD du verbe ; 2) le pronom réfléchi n'est pas COI (**entretuer à quelqu'un*) > accord avec le sujet

(d) <u>Les associations d'aides aux sans-abri</u> *se* sont immédiatement **insurgées** contre l'idée d'un hébergement obligatoire.

1) pas d'autre COD du verbe ; 2) le pronom réfléchi n'est pas COI (**insurger à quelqu'un*) > accord avec le sujet

(e) Ainsi, à minuit et une minute exactement, <u>le rideau</u> *s*'est **levé** devant un grand présentoir, dévoilant une pile impressionnante de livres.

1) pas d'autre COD du verbe ; 2) le pronom réfléchi n'est pas COI (**lever à quelque chose*) > accord avec le sujet

(f) L'incident n'a pas retardé le programme et <u>les portes de la cathédrale</u> *se* sont **fermées** à 10h00.

1) pas d'autre COD du verbe ; 2) le pronom réfléchi n'est pas COI (**fermer à quelque chose*) > accord avec le sujet

Attention :

- Il ne faut pas confondre un attribut et un COD.

(a) Elle *s*'est **imaginée** <u>toute vêtue de noir</u>.

1) pas d'autre COD du verbe (<u>toute vêtue de noir</u> est l'attribut du COD *se* ; 2) le pronom réfléchi n'est pas COI (**imaginer à quelqu'un*) > accord avec le sujet

- Le COD peut être une proposition subordonnée complétive.

> (b) Elle s'est **imaginé** *que notre fille était le nouveau messie qui allait sauver le monde.*
> 1) il y a un COD placé après le verbe (*imaginer quelque chose : que notre fille était le nouveau messie...*) > participe passé invariable

- Il ne faut pas confondre une complétive directe et une complétive indirecte.

> (c) Ils *se* sont **souvenus** <u>qu'ils appartenaient à une histoire ou la démocratie tient une place centrale.</u>
> 1) pas d'autre COD du verbe (*se souvenir <u>de quelque chose</u>*) ; 2) le pronom réfléchi n'est pas COI (**souvenir à quelqu'un*) > accord avec le sujet

> (d) Après avoir fouillé la maison, ils se sont **rappelé** *qu'il fallait faire un coup de téléphone pour obtenir un mandat de perquisition.*
> 1) il y a un COD placé après le verbe (*se rappeler quelque chose : qu'il fallait faire un coup de téléphone...*) > participe passé invariable

- Les règles d'accord des participes passés relatives aux verbes impersonnels et à *en* COD restent valables.

> (e) Cette semaine, dans ma ferme, *il* s'est **passé** des tas de choses étranges, extraordinaires.
> (> le participe passé des verbes impersonnels est invariable)

> (f) Des cadeaux, je ne m'*en* suis encore jamais **fait**.
> (> le participe passé reste invariable quand *en* COD précède le verbe)

⇒ **Résumé**

Face à un verbe pronominal, on se posera les questions suivantes :

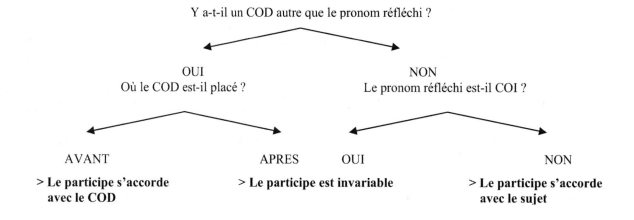

Y a-t-il un COD autre que le pronom réfléchi ?

OUI   NON
Où le COD est-il placé ?   Le pronom réfléchi est-il COI ?

AVANT   APRES   OUI   NON

> **Le participe s'accorde**   > **Le participe est invariable**   > **Le participe s'accorde**
> **avec le COD**   **avec le sujet**

Exercice 1 : Dans les phrases ci-dessous, soulignez l'élément qui détermine l'accord du participe passé.

1. Karla Homolka aurait récemment modifié son apparence physique : elle s'est coupé et teint les cheveux en noir.

2. Ainsi, de nombreux citoyens se sont plaints de ne pas avoir pu voter.

3. Il s'est tout d'abord adressé à sa famille, à ses proches et à ses amis.

4. Les Turcs et les Portugais se sont déjà donné rendez-vous le 25 juin prochain en demi-finale.

5. Le directeur du théâtre, Jean Vilar, s'est rappelé « que pendant des années nous nous sommes méfiés l'un de l'autre, mais nous avons appris à nous apprécier ».

6. Il a sauté l'entraînement et s'est accordé un bon repos après avoir battu l'Américain Andy Roddick.

7. En quelques semaines, les événements se sont succédé.

8. Aussi, quand Johnny et Laeticia se sont arrêtés pour se faire un baiser, la jolie petite Jade les a regardés avec douceur et malice.

9. Les sièges de WestJet Airlines se sont bien vendus, le mois dernier.

10. On dit encore que la plupart d'entre elles ne sont que des filles perdues qui se sont repenties.

Exercice 2 : Complétez les phrases ci-dessous en conjuguant le verbe entre parenthèses au passé composé.

1. Les organisations internationales et de nombreux gouvernements (se mobiliser) _____ jeudi pour venir en aide au Pérou, frappé jeudi par un important tremblement de terre.

2. Tous les responsables (se plaire) _____ à souligner la défaire des maires socialistes sortants.

3. Deux personnages de l'Univers Marvel (s'appeler) _____ Grizzly.

4. L'Allemagne (se prononcer) _____ toutefois _____ contre ce principe.

5. À Paris, quelque 200 personnes (se rassembler) _____ près de l'ambassade de Chine, l'un des pays les plus proches du régime birman.

6. Il accède au pouvoir après une guerre civile au cours de laquelle cinq rois (se succéder) _____ et (s'entretuer) _____ , depuis le meurtre de Porrex Ier.

7. « Je ne (s'imaginer) _____ jamais _____ la masse de travail et d'énergie qu'il fallait investir dans une telle organisation », reconnaît le Payernois.

8. Armelle (se souvenir) _____ de sa mère, jurée quelques années plus tôt et revenue "complètement bouleversée" par cette expérience.

9. En discutant entre eux, les repentis (se rendre) _____ compte qu'ils avaient été floués.

10. Les anciens terroristes (se convertir) _____ dans le grand banditisme, a déclaré samedi le patron de la police algérienne, Ali Tounisi.

11. Ces joyeux lurons (se parler) _____ longtemps, et nul ne sait toutes les bonnes blagues qu'ils (se raconter) _____ !

12. Au cours de cette célébration, les catholiques de la capitale (se repentir) _____ dans la communion et ont prié pour tous les croyants et les morts pour leur repos dans l'Au-delà.

13. Il (se produire) _____ une chose vraiment extraordinaire : des petits plaisantins (s'amuser) _____ à couper les bras des statues de la ville !

14. Au premier jour de leur procès, mardi, les deux adolescents (s'excuser) _____ auprès des victimes, selon leurs avocats.

15. Les personnes qui ont approché la cellule ne (se douter) _____ de rien.

II

Orthographe d'usage

1. Les accents

> Alors, si le temps s'y prête, l'équipe organisatrice espère que le nombre de visiteurs se maintiendra dans les hautes sphères.

La phrase ci-dessus contient plusieurs accents : **circonflexe** *(prȇte)*, **aigu** *(ȇquipe)* et **graves** (**espȇre, sphȇres**).
L'accentuation de la lettre *e* dépend de règles graphiques (accents aigus et graves) ou de son étymologie (accent circonflexe).

1. Emploi de l'accent aigu et de l'accent grave sur le *e*

> ➤ La lettre *e* prononcée [ə] ne prend jamais d'accent : *le* [lə] ; *que* [kə].
>
> ➤ En syllabe **fermée**, la lettre *e* prononcée [ɛ] ne prend jamais d'accent :
> *main-tien-ne* [mɛ̃tjɛn].
>
> ➤ En syllabe **ouverte**,
> - la lettre *e* prend un accent aigu quand la syllabe qui suit se prononce : *é-qui-pe* [ekip].
> - la lettre *e* prend un accent grave quand la syllabe qui suit est muette : *es-pè-re* [ɛspɛʀ] ; *sphè-res* [sfɛʀ]

1.1. Syllabes graphiques ouvertes et fermées

Afin de pouvoir mettre l'accent correctement, il faut déterminer si la syllabe graphique est ouverte ou fermée.

> ➤ Une **syllabe ouverte** est une syllabe qui se termine par une voyelle (*a-lors*.)
> ➤ Une **syllabe fermée** est une syllabe qui se termine par une consonne, que cette consonne soit prononcée (*es-père*), qu'elle fasse partie d'un phonème nasal (***nom-bre, en-tendre***), ou qu'elle soit latente (*as-pect*).

La séparation en syllabes graphiques obéit aux règles suivantes :

1. Quand il y a deux voyelles successives, on ne coupe jamais : *vi-si-teurs ; main-tien-ne*
2. Quand il y a une consonne intervocalique, on coupe devant la consonne : *a-lors ; or-ga-ni-sa-tri-ce*
3. Quand deux consonnes se suivent, on coupe entre les deux : *or-ga-ni-sa-tri-ce*
4. Quand il y a trois consonnes, on coupe après les deux premières : *obs-ti-né*
5. Les groupes qui équivalent à un seul phonème ne se séparent pas : *ch, ph, th, gn* : *sphè-re ; é-chan-ger ; mon-ta-gne*
6. Les groupes < consonne + *r* ou *l* > (*pr, cr, tr, pl, cl,* ...) ne se séparent pas, sauf *rr* et *ll* : *or-ga-ni-sa-tri-ce ; nom-bre* (mais : *ter-re ; bel-le*)

1.2. Cas particuliers

- *e* suivi de *x* ne prend jamais d'accent : *complexe, examen, exemple, exister, réflexion.*

- *é* à l'initiale se maintient même devant une syllabe muette :
    - dans les préfixes *dé-* ou *pré-* : *décevoir ; prélever*
    - dans les mots commençant par un é : *élever, épeler*
    - dans les mots *médecin, médecine*[1].

- on écrit *è* devant *-s* final > *-ès* : *un décès, le progrès, le succès.*

2.   Emploi de l'accent grave sur le *a* et sur le *u*

2.1. *à*

L'accent grave sur le *a* permet de distinguer des homophones très fréquents : *a* (verbe *avoir*) / *à* (préposition) ; *la* (article ou pronom) / *là* (adverbe). On le trouve encore dans les composés de *çà* (ancien adverbe de lieu) et de *là* : *en deçà, au-delà, voilà.*

2.2. *ù*

Ce graphème ne se trouve que dans l'adverbe de lieu *où*, ce qui le distingue de la conjonction *ou*.

3.   Emploi de l'accent circonflexe

L'accent circonflexe marque le plus souvent l'ancienne prononciation d'une voyelle allongée [ɑː], [ɛː] ou [oː], marquée autrefois à l'écrit par un *s* qui a aujourd'hui disparu (mais qu'on retrouve dans les mots de la même famille : *forêt > forestier*). La plupart du temps, on ne marque plus cet allongement de la voyelle : *la forêt* se prononce [la fɔʀɛ], *l'évêque* [levɛk].

Dans certains cas où les locuteurs de la plupart des régions francophones marquent clairement la distinction de longueur (en prononçant *patte / pâte* [pat / pɑːt]), le français de Paris ne marque plus du tout la différence : [pat /pat]. De même, dans des mots comme *fête* ou *bête*, l'allongement de la voyelle tend à disparaître dans la variété parisienne ([fɛt] ; [bɛt]).

---

[1]   D'autres mots s'écrivaient traditionnellement avec un *é* contre les règles de l'accentuation (*événement, sécheresse...*). Depuis la réforme de l'orthographe de 1990, on recommande plutôt la graphie régulière (*évènement, sècheresse*). Cependant, l'usage tend à préférer l'ancienne graphie.

3.1. *â*	3.2. *ê*	3.3. *î*[2]	3.4. *ô*
âge	ancêtre	aîné	aussitôt
âgé	arrêt	apparaître	bientôt
âme	arrêté	boîte	chômage
bâtiment	arrêter	chaîne	chômeur
bâtir	bête	connaître	contrôle
château	conquête	croître	côté
grâce	empêcher	disparaître	dépôt
mâle	enquête	entraînement	diplôme
tâche	enquêteur	entraîner	hôpital
théâtre	être	île	hôtel
	extrême	maître	impôt
	extrêmement	maîtrise	nôtre
	fête	naître	plutôt
	fêter	paraître	rôle
	forêt	reconnaître	tantôt
	intérêt	surcroît	tôt
	même		vôtre
	peut-être		
	prêt		
	prêter		
	quête		
	rêve		
	rêver		
	revêtir		
	suprême		
	tête		
	vêtement		

3.5. *û*

L'accent circonflexe se met obligatoirement sur le *u* dans certains homophones, pour éviter les confusions : *dû / du ; crû / cru ; mûr / mur ; sûr/ sur, jeûne / jeune*. On le trouve encore dans certaines terminaisons verbales : *qu'il fût ; qu'il eût*. Partout ailleurs, le *û* traditionnel n'est plus obligatoire.

4. Emploi du tréma

Ce signe se place sur *e, i*, et *u,* pour marquer la disjonction d'un groupe de voyelles qui se prononcent en deux syllabes distinctes.

---

[2] La réforme de l'orthographe de 1990 propose que l'accent circonflexe ne soit plus obligatoire sur la lettre *i*. On le maintient uniquement en cas d'homophonie et dans les terminaisons verbales (passé simple et imparfait du subjonctif, *il fit / qu'il fît*). L'usage tend cependant à conserver l'ancienne graphie.

4.1. *ï*

On rencontre essentiellement le tréma sur la voyelle *i*, pour éviter les confusions avec les digrammes *ai* et *oi* ainsi que *ui* après *g*. Ainsi, on écrit : *haïr, laïc, héroïne* et *ambiguïté*. Dans certains cas, *ï* est une graphie de [j] : *aïeul, faïence*.

4.2. *ë*

Le tréma apparaît sur la voyelle *e* dans les groupes *ae* (*Israël*) ou *oe* (*Noël*).

4.3. *-guë*

Dans les finales en *-guë*, le tréma marque la prononciation [gy] du féminin des adjectifs se terminant par *-gu* : *aigu > aiguë ; ambigu > ambiguë*. Depuis la réforme de l'orthographe de 1990, on peut également placer le tréma sur le *u* : *aigüe ; ambigüe*.

Exercice 1 : Séparez les mots suivants en syllabes graphique et soulignez les syllabes ouvertes.

abandonner	changement	élection	vous interdisez
accompagner	ils chercheront	nous engagerons	tu jettes
administration	je choisissais	j'espère	ils jetèrent
agence	collectif	ils espéraient	kilomètre
ils aidèrent	communication	essentiel	longtemps
vous ajouterez	ils conseillèrent	établissement	médecin
autorité	nous découvrirons	février	nécessaire
battre	derrière	frère	offrir
britannique	difficulté	général	partenaire
central	effectuer	industriel	vous recevrez

Exercice 2 : Corrigez s'il y a lieu les mots ci-dessous.

achètée	dèfendre	ils changerent	révèler
ils adresserent	dehors	ils considèreront	système
apres-midi	dêmocratie	ils développerent	têchnologie
bénèfice	èffort	ils reclamèrent	tèst
bète	éléctronique	meilleur	tèrminer
bibliothêque	élèment	ménacer	tèrritoire
cinema	elle est créée	périôde	transmèttre
consequence	excéllent	ils préparérent	védette
côpération	frontière	problême	vèritable
dèbut	génèralement	rèsponsabilité	je vèrsai

Exercice 3 : Si nécessaire, ajoutez les accents aux mots ci-dessous.

acces	controler	esperer	interet
activite	cote	evidemment	mere
agreable	defendre	exercice	numero
apparaitre	delicat	fete	particulierement
apprecier	departement	fidele	piece
au-dela	detenir	grace	preferer
batiment	effet	greve	reduire
caractere	electeur	guerre	septembre
celebrer	energie	ile	spectacle
complementaire	espece	interesser	theatre

Exercice 4 : Ecrivez les mots dont vous avez la transcription en API.

[eʃɛl]		[ɔʀkɛstʀ]	
[ekipmã]		[pɔɛt]	
[ɛksɛpsjɔ̃]		[pʀɔgʀɛ]	
[fedeʀal]		[ʀefeʀãs]	
[fɛstival]		[il ʀefleʃisɛ]	
[finãsje]		[ʀegyljɛʀmã]	
[eʀo]		[ʀəsãble]	
[ɛ̃feʀjœʀ]		[temwaɲe]	
[ʒə libɛʀ]		[veikyl]	
[nu libeʀɔ̃]		[veʒetal]	

2. La majuscule

Découvrez Lyon à vélo ! Voilà 8 ans que **G**ilbert **R**ay, retraité, chevauche son vélo pour faire découvrir sa ville natale aux curieux.

La phrase ci-dessus contient cinq majuscules : *Découvrez, Lyon, Voilà, Gilbert Ray.*

> ➢ La majuscule a un rôle **syntaxique** (ou **démarcatif**) quand
> - elle marque le début d'un texte (*Découvrez*)
> - elle marque le début d'une phrase (*! Voilà*)
>
> ➢ La majuscule a un rôle **distinctif** quand
> - elle marque un nom propre (*Lyon, Gilbert, Ray*)

1. Rôle syntaxique

1.1. La majuscule marque le **début** d'un texte, d'un paragraphe ou d'une phrase. On la trouve donc en début de texte ou après les **points**, **points d'interrogation**, **d'exclamation** ou de **suspension** qui marquent la fin d'une phrase.

(a) Allons-nous vers une retenue à la source généralisée**? L**'Association des banques étrangères en Suisse propose d'instaurer une telle imposition pour chaque compte étranger.

(b) Apprenez l'italien en Italie **! N**ous offrons des cours tous niveaux.

(c) Il faut se moucher dans un mouchoir en papier, se laver les mains soigneusement, éternuer dans son coude**... C**es « gestes barrières » sont considérés par les médecins comme les principaux moyens de lutte contre la propagation du virus.

Mais : quand ces signes de ponctuation sont utilisés **à l'intérieur** d'une phrase, ils ne sont pas suivis d'une majuscule :

(d) Un soir, t'en souvient-il **? n**ous voguions en silence. (Lamartine)

(e) Ton texte est génial, comme d'habitude **! e**t si vrai.

(f) Les Polonais, sous les bombes allemandes, apprenaient avec une amère stupéfaction que les Britanniques envoyaient bien des avions sur Hambourg, mais pour y jeter**... d**es tracts.

Les **deux points** à l'intérieur d'une phrase – introduisant une explication ou une énumération – ne sont pas suivis de la majuscule :

(g) Les maisons dites écologiques se construisent de plus en plus, et cela pour une simple raison **: e**lles permettent de faire des économies !

(h) Des jeunes de 11 à 28 ans racontent leurs expériences dans l'un des domaines suivants **: c**itoyenneté, humanitaire, solidarité, environnement ou culture.

1.2. La majuscule marque le début d'une **citation** ou d'un **discours direct** notés par **deux points et des guillemets** (*:* « ... ») :

(a) Soudain, la vieille s'écria : « Regarde, là, sur l'arbre ! »

Mais : si la citation est intégrée dans une phrase, on ne met ni majuscule ni deux points :

(b) Selon le premier ministre, <u>«</u> *<u>d</u>eux totalitarismes avaient décidé du sort de cette guerre, d'abord en alliés, ensuite en ennemis* ».

(c) Le pronostic vital d'un homme de 42 ans grièvement blessé dans l'accident de train vendredi soir était toujours <u>«</u> *<u>t</u>rès réservé* » dimanche.

2. Rôle distinctif

2.1. La majuscule est la marque du nom propre.

- **Les noms de lieux** : villes (*Genève*), villages (*Cortaillod*), régions (*le Jura*), pays (*la Suisse*), îles (*les Canaries*), montagnes (*les Alpes*), cours d'eau (*le Rhône*), rues (*rue des Moulins*), monuments (*la Tour Eiffel*). Les points cardinaux employés sans compléments de lieu, désignant une région, un pays ou un ensemble de pays, prennent une majuscule :

(a) Les amandiers sont déjà en fleur dans le <u>S</u>ud ; les pêchers n'en sont pas loin au <u>N</u>ord.

(b) Les notions de Bloc de l'<u>E</u>st et de Pays de l'<u>E</u>st sont tombées en désuétude depuis la chute de l'Union soviétique au début des années 1990.

Quand les points cardinaux sont employés avec un complément qui est lui-même un nom de lieu, ils ne prennent pas de majuscule :

(c) Seul le <u>s</u>ud <u>de la France</u> a connu des précipitations abondantes.

De même, lorsqu'ils ont la valeur de points cardinaux, indiquant une direction, ils ne prennent pas de majuscule :

(d) Ensuite la Compagnie poursuivra ses travaux par l'îlot 2. Ce dernier est délimité au <u>n</u>ord par l'avenue Berthelot, à l'<u>e</u>st par la voie ferrée, au <u>s</u>ud par le port Édouard Herriot et à l'<u>o</u>uest par l'avenue Jean-Jaurès.

- **Les noms de personnes** : noms de famille (*Courbet*) et prénoms (*Gustave*), surnoms (*Loulou*) ou pseudonymes (*Molière*) s'écrivent avec majuscule. On considère aussi comme nom de personne les noms des êtres surnaturels des religions et des mythologies (*Allah ; Yahvé ; Dieu ; le Tout-Puissant ; Jupiter ; Vénus*). Quand ce sont des catégories (les dieux, les anges, etc.), on ne met pas de majuscule :

(e) Dans la mythologie romaine, <u>J</u>unon est la reine des <u>d</u>ieux et la reine du ciel.

- **Les noms désignant des habitants ou des nationalités**. Attention, quand il s'agit de l'adjectif ou de la langue, on ne met pas de majuscule :

(f) Il leur manque du souffle, celui de De Gaulle, qui savait, lui, faire appel à l'intelligence des Français.

(g) Soirée mitigée pour les clubs français en Coupe de l'UEFA.

(h) La langue d'usage sera le français, que les étudiants devront maîtriser à la fin de leurs études.

2.2. La majuscule note une acception particulière d'un nom commun.

- **Les périodes historiques** (*la Réforme ; la Révolution française ; l'Antiquité*) ou **les mouvements** (*la Restauration*) :

  (a) Ils ont été nombreux à s'engager dans la **R**ésistance.

- **Les fêtes ou les périodes de l'année** (*Pâques ; Noël ; l'Avent*) :

  (b) Une « veillée de paix » interreligieuse les a rassemblés à l'occasion du **N**ouvel **A**n.

- **Les institutions** (*l'Etat ; l'Eglise ; l'Université*) :

  (c) L'**A**cadémie de médecine et celle des sciences ont exprimé, elles aussi, de vives réticences.

- **Les titres des livres** : en règle générale, majuscule pour la première lettre de tous les mots jusqu'au premier substantif y compris (*A La Recherche du temps perdu ; Le Bon Usage*) :

  (d) Quand Victor Hugo écrit ***L**es **M**isérables*, c'est l'époque où il perd sa fille Léopoldine.

- **Les titres** (*Madame ; Monsieur ; Maître ; Votre Excellence*) :

  (e) Au Revoir, mon Général !

Exercice 1 : Rétablissez les majuscules où elles sont nécessaires dans le texte suivant.

« nous sommes là pour rappeler qui dans cette guerre fut l'agresseur et qui fut la victime, car sans une mémoire honnête, ni l'europe, ni la pologne, ni le monde ne vivront jamais en sécurité », a déclaré le premier ministre polonais donald tusk. parmi les dirigeants qui se sont recueillis ensemble dans l'après-midi au pied du monument aux victimes de westerplatte figurent la chancelière allemande angela merkel, le premier ministre russe vladimir poutine, les premiers ministres français françois fillon, italien silvio berlusconi et suédois fredrik reinfeldt, aussi président en exercice de l'union européenne.

les rancœurs et interprétations divergentes de la seconde guerre mondiale entre varsovie et moscou ont laissé planer une ombre sur ces cérémonies. le premier ministre polonais a rencontré mardi dans la matinée son homologue russe dont les déclarations étaient très attendues en pologne après la publication ces derniers mois en russie d'articles et d'un film justifiant le pacte germano-soviétique molotov-ribbentrop d'août 1939, qui a conduit au partage de la pologne entre l'allemagne et l'urss. après cette rencontre, m. poutine a une nouvelle fois rejeté les critiques qui rendent ce pacte responsable du déclenchement de la seconde guerre mondiale. (*le monde*, 1er septembre 2009)

3. Les adverbes

L'état de santé du prince reste « très fragile » avec un pronostic vital « **toujours extrêmement** réservé », selon un communiqué du palais diffusé mardi.

La phrase ci-dessus contient deux adverbes : **toujours** et **extrêmement**.

> ➤ L'adverbe est par définition un **mot invariable** qui peut assumer différentes fonctions dans la phrase (expression de la temporalité, de l'intensité, etc.)
>
> On distingue communément deux catégories d'adverbes : les adverbes en *-ment* et les autres adverbes, d'étymologie diverse.

1. Les adverbes en *-ment*

Les adverbes en *-ment*, dérivés d'adjectifs ou de participes passés, se forment principalement selon trois règles. Il existe cependant un certain nombre de cas particuliers.

1.1. Pour les adjectifs se terminant par une consonne au masculin, l'adverbe se forme par l'adjonction de *-ment* au féminin de l'adjectif.

égal	–	égale	> égalament
complet	–	complète	> complètement
actuel	–	actuelle	> actuellement
définitif	–	définitive	> définitivement

1.2. Pour les adjectifs se terminant par une voyelle au masculin, l'adverbe se forme par l'adjonction de *-ment* à l'adjectif.

rapide	> rapidement		forcé	> forcément
unique	> uniquement		aisé	> aisément
vrai	> vraiment		absolu	> absolument
poli	> poliment		résolu	> résolument

1.3. Pour les adjectifs se terminant par *-ant* ou *-ent* au masculin, l'adverbe se forme en remplaçant *-ant* par *-amment* [amã] et *-ent* par *-emment* [amã].

constant	> constamment		évident	> évidemment
indépendant	> indépendamment		récent	> récemment

Sauf :	lent	– lente	> lentement
	présent	– présente	> présentement

1.4. Cas particuliers

Formes irrégulières :

bref	–	brève	>	brièvement
gentil	–	gentille	>	gentiment
traître	–	traître	>	traîtreusement

Pour certains adjectifs se terminant par -e, l'adverbe se forme en remplaçant -e par -ément :

aveugle	>	aveuglément
conforme	>	conformément
énorme	>	énormément

De même :

précis	–	précise	>	précisément
profond	–	profonde	>	profondément

Forme double sans changement de sens :

gai	–	gaie	>	gaiement / gaiment (gaîment[1])

Forme double avec changement de sens :

grave	–	grave	>	gravement	(malade)
			>	grièvement	(blessé)

1.5. Un certain nombre d'adverbes, souvent familiers, sont formés sur la base de noms.

la bête	>	bêtement
le diable	>	diablement
la vache	>	vachement

2.   Les adverbes d'étymologie diverse

Il est délicat de proposer un classement des adverbes en fonction de leur sens, la plupart d'entre eux pouvant faire partie de plusieurs catégories selon la construction utilisée ou l'intention du locuteur. Ainsi, la phrase *Il écrit bien* peut avoir deux sens : 1) « Il écrit soigneusement », et 2) « Il écrit pourtant ».
Pour faciliter la mémorisation, et malgré les limites évidentes du classement des grammaires scolaires traditionnelles, on distinguera ici grosso modo :

---

[1]   La réforme de l'orthographe de 1990 propose que l'accent circonflexe ne soit plus obligatoire sur les lettres *i* et *u* sauf en cas d'homophonie. L'usage tend cependant à conserver l'ancienne graphie, d'où le maintien, chez certains scripteurs, de la forme *gaîment*.

2.1. *Des adverbes de temps*

alors	d'emblée	longtemps
après	déjà	maintenant
au fur et à mesure	demain	parfois
aujourd'hui	désormais	quelquefois
auparavant	encore	souvent
aussitôt	enfin	tantôt
autrefois	ensuite	tôt
avant	hier	toujours
bientôt	jadis	
d'abord	jamais	

2.2. *Des adverbes de lieu*

ailleurs	dessus	loin
autour	devant	partout
dehors	ici	près
derrière	infra	supra
dessous	là (-bas)	

2.3. *Des adverbes d'intensité / de quantité*

assez	fort	plutôt
aussi	guère	presque
autant	moins	si
beaucoup	pas	tant
bien	peu	très
davantage	plus	trop

2.4. *Des adverbes de modalité*

ainsi	de surcroît	néanmoins
a priori	ensemble	quasi
bien	environ	toutefois
cependant	mal	vite
certes	mieux	volontiers

2.5. *Des adverbes d'interrogation*

combien	où	quand
comment	pourquoi	

Exercice 1 : Trouvez l'adverbe mal orthographié dans les listes suivantes et corrigez-le.

1. apparemment, strictement, radicallement, lentement _____

2. simultanément, manifestement, généralement, partièlement _____

3. explicitement, précédamment, vraisemblablement, nullement _____

4. malheureusement, implicitment, effectivement, régulièrement _____

5. autrement, difficillement, systématiquement, étroitement _____

6. exactement, éventuellement, fondamentalement, notament _____

Exercice 2 : Formez un adverbe à partir de chacun des adjectifs suivants.

1. traditionnel _____　　6. final _____

2. véritable _____　　7. fréquent _____

3. spontané _____　　8. exclusif _____

4. paradoxal _____　　9. nécessaire _____

5. naturel _____　　10. relatif _____

Exercice 3 : Formez un adverbe à partir de chacun des adjectifs suivants.

1. certain _____　　6. progressif _____

2. extrême _____　　7. global _____

3. particulier _____　　8. clair _____

4. officiel _____　　9. concret _____

5. net _____　　10. normal _____

Exercice 4 : Formez un adverbe à partir de chacun des adjectifs suivants.

1. assuré _____　　6. rare _____

2. réel _____　　7. contraire _____

3. seul _____　　8. léger _____

4. respectif _____　　9. fort _____

5. tel _____　　10. plein _____

Exercice 5 : Ecrivez les adverbes dont vous avez la transcription en API.

1. [oʒuʀdɥi] _____

2. [kɔ̃sideʀabləmɑ̃] _____

3. [dabɔʀ] _____

4. [davɑ̃taʒ] _____

5. [dezɔʀmɛ] _____

6. [diʀɛktəmɑ̃] _____

7. [ɑ̃viʀɔ̃] _____

8. [ɛsɑ̃sjɛlmɑ̃] _____

9. [fasilmɑ̃] _____

10. [abityɛlmɑ̃] _____

11. [imedjatmɑ̃] _____

12. [ʒystəmɑ̃] _____

13. [laʀʒəmɑ̃] _____

14. [leʒɛʀmɑ̃] _____

15. [liteʀalmɑ̃] _____

16. [lɔʒikmɑ̃] _____

17. [lɔ̃tɑ̃] _____

18. [paʀalɛlmɑ̃] _____

19. [paʀfɛtmɑ̃] _____

20. [pʀɛ̃sipalmɑ̃] _____

21. [pʀɔbabləmɑ̃] _____

22. [pʀɔpʀəmɑ̃] _____

23. [pyʀmɑ̃] _____

24. [kɛlkəfwa] _____

25. [sɛ̃pləmɑ̃] _____

26. [sɔsjalmɑ̃] _____

27. [spesjalmɑ̃] _____

28. [spesifikmɑ̃] _____

29. [syksɛsivmɑ̃] _____

30. [tɔtalmɑ̃] _____

4. Les homophones

> C'est sans doute la première fois que le cycliste, malgré le **peu** d'avance qu'il a sur les autres concurrents à la sortie des Alpes, **peut** espérer gagner.

La phrase ci-dessus contient deux homophones : **peu** et **peut**.

> ➢ Les homophones sont des mots qui ont une prononciation semblable [pø] mais qui s'écrivent différemment (*peu, peut*).
> ➢ Il existe de nombreux cas similaires, entre mots de catégories grammaticales et de significations différentes.
> ➢ Il existe de nombreux cas d'homophonies entre un substantif (*le travail*) et un verbe conjugué de la même famille *(je / il travaille, tu travailles, ils travaillent)*.

1. Homophones de catégories grammaticales et / ou de significations différentes

[kɑ̃]	quand	Je marchais dans la rue **quand** cinq adolescents m'ont bousculé.
	quant	Les électeurs sont déjà sceptiques **quant** à la politique de leur pays.
	qu'en	La nouvelle vague, **qu'en** reste-t-il 50 ans après ?
[kɛl]	quel	Mais **quel** est le nom de cette école ?
	quelle	De **quelle** décision peut-il s'agir ?
	qu'elle	Il se peut **qu'elle** ait fait des erreurs.
[dɑ̃]	dans	Cette décision devrait être officialisée **dans** les prochains jours.
	d'en	Il veut réussir cette réforme des institutions sans l'imposer **d'en** haut.
[la]	la	Selon **la** formule consacrée : **la** maman et l'enfant se portent bien.
	la	A chaque fois qu'il **la** voyait, il souriait.
	l'a	Il **l'a** regardée avec tendresse.
	là	Certains artisans seront **là**, demain, pour faire découvrir leurs métiers.
[lœʀ]	leur	« Misez en 2006 sur la bulle des matières premières à vos risques et périls », **leur** disait-il.
	leur	Il s'agit de quatre enfants âgés de 1 à 8 ans ainsi que de **leur** mère, de **leur** grand-mère et d'un grand-oncle.
	leurs	Je pense que les joueurs d'aujourd'hui ont raison quand **leurs** managers négocient les salaires.
	l'heure	A **l'heure** de l'apéritif, environ 200 personnes étaient là.
[le]	les	Il **les** a prévenus de son départ.
	l'ai	Je **l'ai** prévenu des pièges qu'on voulait lui tendre.
[ma]	ma	C'est mon problème, cela relève de **ma** vie privée.
	m'a	« Je crois que je ne t'aime plus », elle **m'a** dit ça hier…
[mɔ̃]	mon	Je n'ai jamais mélangé **mon** engagement politique avec **mon** enseignement.
	m'ont	Les médecins **m'ont** sauvé la vie !
[ni]	ni	Ils n'ont **ni** maison **ni** voiture.
	n'y	Il **n'y** a pas d'autre choix que le dialogue.

[ɔ̃]	on	Un jour, quand le télétravail aura fait ses preuves, **on** pourra en reparler.
	ont	En juillet 2000, deux expatriés **ont** même été kidnappés.
[ɔ̃n]	on	**On** est gagné par un singulier sentiment de sérénité.
	on n'	« **On n'**a pas de troupes, pas d'entrepreneurs, **on n'**a rien ! »
[pø]	peu	La bombe a explosé mardi **peu** après 21 heures locales.
	peut	Tout **peut** arriver.
	peux	C'est une question que je ne **peux** malheureusement pas résoudre.
[pʀɛ]	près	Je voulais toujours être **près** d'elle.
	prêt	Le projet sera **prêt** à la fin du mois de mai.
[sa]	ça	C'est comme **ça**, c'est la vie !
	sa	A la veille de **sa** chute, le dictateur faisait encore peur.
[sɑ̃]	cent	Tous les spectacles devraient être joués **cent** fois.
	sans	Ce chiffre est irréel et **sans** fondement.
	s'en	On ne peut **s'en** vouloir qu'à soi-même.
[sə]	ce	**Ce** n'est que partie remise.
	se	Jean **se** montre hésitant, fatigué.
[sə sɔ̃]	ce sont	**Ce sont** les Etats-Unis qui posent de telles conditions.
	se sont	Des associations **se sont** créées à l'initiative d'habitants.
[se]	ces	Toutes **ces** démarches sont restées sans suite.
	ses	**Ses** yeux étaient clairs, et faisaient songer à des yeux d'enfant.
[setɛ]	c'était	**C'était** un individu peu bavard.
	s'était	Le Comité national des retraités ne **s'était** pas réuni depuis deux ans.
[sɛ]	c'est	**C'est** l'occasion pour moi de découvrir un pays que je ne connais pas.
	s'est	Il **s'est** excusé pour la peine qu'il m'a faite.
[si]	si	Je fais un travail intéressant, ma vie n'est pas **si** mauvaise.
	six	Ce délai peut être prolongé de **six** mois.
	s'y	Ils ont réussi à **s'y** maintenir sans beaucoup travailler.
[sɔ̃]	son	La déception se lit sur **son** visage.
	son	L'opinion est manipulée, habituée à entendre toujours le même **son** de cloche.
	sont	Ils **sont** quatre copains entre quarante et cinquante ans.
[ta]	ta	« Que **ta** nourriture soit ton médicament et ton médicament **ta** nourriture », a dit Hippocrate.
	t'a	As-tu lu le message que maman **t'a** écrit hier?
[tɑ̃]	tant	Le second but **tant** attendu ne viendra jamais.
	temps	La décision finale sera prise, lorsque le **temps** sera venu.
	t'en	Je vais bien, ne **t'en** fais pas !
[tɔ̃]	ton	« Mets **ton** chapeau ! »
		Changement de **ton** et de registre avec la dernière des quatre symphonies de Brahms, créée en 1885.
	thon	Dans le sac, il y avait des nouilles instantanées et des boites de **thon.**
	t'ont	Ils **t'ont** demandé de garder la maison.
[u]	ou	Ça vous étonne **ou** vous vous y attendiez ?
	où	« D'**où** viens-tu bergère? » est le titre d'une très vieille chanson.

2.   Homophones noms / verbes

Certains noms et certains verbes se prononcent de la même manière, mais s'écrivent différemment. Ce sont les homophones noms / verbes au présent (aux personnes du singulier et parfois aussi à la troisième personne du pluriel) : ainsi, *le travail* est homophone des formes *je travaille ; tu travailles ; il /elle / on travaille ; ils / elles travaillent.*
Ces noms correspondent généralement au radical du verbe homophone. Par exemple, le nom *le travail* constitue le radical du verbe *travailler*.

[akøj]	accueil	Les enfants sont placés dans des familles d'**accueil**.
	accueille	L'école **accueille** actuellement dix enfants.
[apɛl]	appel	Un **appel** a été lancé aux médecins pour rejoindre les hôpitaux.
	appelle	« Ne bougez pas, j'**appelle** le secouriste, on va prendre votre tension. »
[apɥi]	appui	Des preuves stupéfiantes venaient à l'**appui** de ces allégations.
	appuie	Le président **appuie** sa requête sur des arguments solides.
[atʀiby]	attribut	Chez les Romains, la Balance est un **attribut** de la Justice.
	attribue	Voltaire **attribue** sa bonne santé à sa consommation régulière de vin de Corton.
[ãplwa]	emploi	Caroline a également trouvé un **emploi** de chargée de mission.
	emploie	L'entreprise **emploie** plus de 600 personnes.
[ãnɥi]	ennui	« On ne veut pas d'**ennui**, pas de violence », ajoutait-il.
	ennuie	Au Grand Théâtre, on ne s'**ennuie** jamais.
[ãtʀətjɛ̃]	entretien	« Mes compétences me menaient vers la construction et **l'entretien** des édifices et habitations en pierre. »
	entretient	Sur le plan économique, il **entretient** le flou sur ses intentions.
[ãvwa]	envoi	Ils ont annoncé l'**envoi**, ce week-end, d'un deuxième porte-avion.
	envoie	On **envoie** tout par internet, maintenant.
[balɛ]	balai	D'ailleurs, c'est lui qui fait tout dans la maison: préparation des repas, coups de **balai**, etc.
	balaie	Il est 4 h 30 et une bise glacée **balaie** le poste frontière.
[kalkyl]	calcul	En **calcul**, il maîtrise multiplication et division à quatre chiffres.
	calcule	La Commission baleinière internationale **calcule** les quotas de pêche autorisés.
[klu]	clou	Le **clou** de ces deux journées a été le corso de ce dimanche après-midi.
	cloue	Ce nouveau matériau se **cloue**, se visse, se perce, comme le bois, mais ne nécessite aucun entretien !
[kɔ̃sɛj]	conseil	Le seul **conseil** que je puisse donner, c'est de venir nous voir.
	conseille	« L'avenir est à une administration qui **conseille** autant qu'elle contrôle », explique le ministre.
[kʀi]	cri	Il sort de la chambre, entend un **cri**, appelle les infirmières.
	crie	Ça chante, ça **crie**, ça tape de partout, ça applaudit.
[defi]	défi	Aussi, le gouvernement est-il confronté à un véritable **défi**.
	défie	Après la chute de Troie, Pyrrhus **défie** les lois de la Grèce en épousant sa captive Andromaque.

[deziʀ]	désir	Son **désir** de prendre la direction d'un grand journal a été plus fort que tout.
	désire	Que **désire** l'homme postmoderne, sinon le bonheur et la liberté ?
[eklɛʀ]	éclair	En un **éclair**, un mur de flammes a embrasé la discothèque.
	éclaire	Il ne faut pas oublier que c'est souvent la lumière du passé qui **éclaire** l'avenir.
[ɛsɛ]	essai	L'Inde a effectué jeudi un **essai** de missile balistique de portée intermédiaire.
	essaie	« J'**essaie** de faire de mon mieux », confie-t-il.
[film]	film	La critique a salué ce **film** comme étant l'une des grosses surprises de cette Berlinale.
	filme	Une équipe de télévision **filme** deux jeunes blondinets déguisés en cow-boy au rez-de-chaussée.
[ʒɛl]	gel	Le **gel** affame les oiseaux ; ils deviennent moins prudents.
	gèle	Quand il neige, quand il vente, quand il **gèle**, tout un pan de l'économie s'arrête.
[mɛ̃tjɛ̃]	maintien	Le gouvernement a écarté l'éventualité d'envoyer une force de **maintien** de la paix, faute de ressources suffisantes.
	maintient	La démographie française se **maintient** à un niveau proche du seuil suffisant pour assurer le renouvellement des générations.
[plœʀ]	pleur	En **pleurs** ou en silence, ils ont déposé des fleurs devant le monument aux victimes.
	pleure	Dans le village, on **pleure** quatre morts.
[pli]	pli	A l'évocation du rôle, le beau visage las s'anime, le **pli** ironique des lèvres s'efface.
	plie	Sur le coup des 18 h 30, la petite équipe **plie** bagage.
[ʀapɛl]	rappel	Je vais sonner le **rappel**, mettre le groupe en garde.
	rappelle	Il se **rappelle** de toutes les paroles.
[ʀəkyl]	recul	Après un **recul** de ses ventes au premier semestre, l'entreprise affiche une croissance de 10,8 % au terme du troisième trimestre.
	recule	Il serait très préoccupant que la consommation des ménages **recule** encore au troisième trimestre.
[ʀevɛj]	réveil	« Vous allez voir, le **réveil** va sonner, elle va se lever », nous dit-il.
	réveille	Marcher sur les traces du lynx **réveille** l'aventurier qui est en vous.
[saly]	salut	« Tiens, **salut** David, comment ça va ? », lance le policier au jeune homme.
	salue	Tout le monde se connaît, se **salue**.
[siɲal]	signal	Sitôt le **signal** donné, le cortège s'ébranle, direction place des Terreaux.
	signale	Dans le reste du territoire, on ne **signale** aucun autre incident notable.
[sɔmɛj]	sommeil	Durant toute la nuit, de brèves secousses ont troublé le **sommeil** des habitants.
	sommeille	En chaque adulte, une part d'enfance **sommeille**.
[supiʀ]	soupir	Napoléon rendit son dernier **soupir** le 5 mai 1821.
	soupire	Sarkozy **soupire** : « C'est pour des moments comme ça que je fais de la politique. »

[susi]	souci	Le rapport avec les parents et le regard des autres sont un **souci** permanent pour ces jeunes.
	soucie	Mais qui se **soucie** de nous ?
[sutjɛ̃]	soutien	Une cellule de **soutien** psychologique de victimes de violences a été mobilisée.
	soutient	Le public américain **soutient** massivement le Pentagone dans la situation actuelle.
[tʀavaj]	travail	Pour investir, les paysans doivent tirer des revenus suffisants de leur **travail**.
	travaille	L'activité agricole est avant tout économique, mais l'agriculteur **travaille** aussi avec la nature.
[tʀi]	tri	Les immeubles ne sont pas encore tous équipés de poubelles à **tri** sélectif.
	trie	On **trie** davantage mais le volume des déchets produits augmente.
[tʀu]	trou	Les photos du **trou** dans la coque du pétrolier accréditent la thèse de l'attentat.
	troue	17 h 30, un coup de trompe **troue** le silence.
[ubli]	oubli	L'affaire a sombré dans l'**oubli**.
	oublie	Personne n'**oublie** l'engagement américain lors des deux guerres mondiales.
[vɔl]	vol	Un homme de 24 ans vient d'être condamné à deux ans de prison ferme pour **vol** avec effraction.
	vole	Il frappe la secrétaire et **vole** le tiroir-caisse.

Exercice 1 : Ecrivez correctement le(s) mot(s) donné(s) en API.

1. Les Etats-Unis, la Grande-Bretagne et l'Espagne [ɔ̃] _____ présenté lundi un projet de deuxième résolution.

2. Pourtant, ici, [ɔ̃n] _____ a pas connu de turbulentes manifestations volcaniques.

3. Je voulais montrer comment la publicité crée du [deziʀ] _____ dans la société.

4. Certaines familles françaises commencent à être rapatriées par les entreprises françaises qui les [ɑ̃plwa] _____.

5. « Ils [mɔ̃] _____ mis le pistolet sur la tempe », témoigne la victime.

6. Toutes ces démarches sont restées [sɑ̃] _____ suite.

7. Ce sont deux sujets parmi [tɑ̃] _____ d'autres.

8. Dès la semaine prochaine, la préfecture fait [apɛl] _____ aux gendarmes formés pour le passage des examens théoriques.

9. Discrète, elle [ɑ̃tʀətjɛ̃] _____ d'excellentes relations avec ses voisins les plus proches.

10. C'était un individu [pø] _____ bavard.

Exercice 2 : Même exercice.

1. Grâce à ton expérience, tu [kɔ̃sɛj] _____ également les clients en matière de prévention et de détection de la fraude.
2. Comme on [si] _____ attendait, cette équipe a réussi la meilleure performance du championnat.
3. Je vous écris, à vous et à vos enfants, parce que ma conscience m'y [apɛl] _____.
4. Cristina est guide du patrimoine et [tʁavaj] _____ pour *Turismo Torino*.
5. Sur la base de la lettre telle [kɛl] _____ est, nous serions profondément sceptiques.
6. Précisément, [kɛl] _____ sont vos solutions pour améliorer l'[ɑ̃plwa] _____ ?
7. Le ministre s'est déclaré très inquiet [kɑ̃t] _____ à l'avenir de l'Europe.
8. Une fois encore, le cinéaste et [sa] _____ caméra scrutent l'univers de la bourgeoisie.
9. La braderie du Secours populaire : « On trouve de tout, [sa] _____ rend service ! »
10. Mais depuis 10 ans, il [vɔl] _____ de ses propres ailes.

Exercice 3 : Même exercice.

1. Puis, j'avais très froid aux mains et j'ai eu peur que mes doigts [ʒɛl] _____ comme c'est hélas arrivé à d'autres.
2. Un panneau [siɲal] _____ aux automobilistes l'unique point de sortie.
3. Un an plus tôt, la courbe de la mortalité sur la route [setɛ] _____ infléchie.
4. Il s'agit d'aider les malades et [lœʁ] _____ familles à mieux vivre [lœʁ] _____ maladie.
5. Une personne sur deux consulte pour des troubles du [sɔmɛj] _____.
6. Ils ont dit que [setɛ] _____ moi.
7. Et [sə] _____ ne [sɔ̃] _____ pas seulement les victimes qui [plœʁ] _____, mais [lœʁ] _____ mères.
8. J'ai apporté un [sutjɛ̃] _____ à la démocratie et non à l'intolérance.
9. De [sa] _____, tu ne [pø] _____ pas [tɑ̃] _____ souvenir.
10. Les textes règlementaires seront [pʁɛ] _____ dès le mois de juin.

5.   Le phonème [a] en syllabe finale

> Dès lors, la guerre est déclarée : d'un côté, l'**Etat colonial** et son **bras** armé, sa justice
> coloniale, de l'autre, un **avocat** guadeloupéen et militant qui entreprend un **combat**
> titanesque.

La phrase ci-dessus comprend cinq mots dont la syllabe finale contient **[a]**.

1.   Le phonème [a] en finale absolue

Plusieurs graphies sont possibles :

Graphie <-a>	Graphie <-à>	Graphie <-as>	Graphie <-at>
un cinéma	à	un bras	un achat
un média	au-delà	un cas	un assassinat
un opéra	là	un repas	un attentat
			un avocat
une caméra	voilà	bas	un candidat
			un climat
cela			un combat
			un contrat
via			un débat
			un état
			un magistrat
			un mandat
			un résultat
			un soldat
			un syndicat
			délicat
			immédiat
			plat

2. Le phonème [a] suivi d'une consonne

[a] + [ʒ]

Graphie <-age>

un avantage
un chômage
un étage
un hommage
un mariage
un ménage
un message
un passage
un paysage
un personnage
un sondage
un stage
un témoignage
un usage
un visage
un voyage
une image
une page

[a] + [l]

Graphie <-al>

		Graphie <-ale>	Graphie <-alle>
un animal	local	une filiale	une balle
un canal	médical	une finale	une salle
un cheval	mondial		
un festival	moral		
un hôpital	municipal		
un journal	musical		
un mal	national		
un tribunal	normal		
	occidental		
capital	original		
central	principal		
commercial	provincial		
familial	radical		
fédéral	régional		
final	royal		
fondamental	social		
général	spécial		
global	syndical		
idéal	total		
international			
libéral			

[a] + [m]

Graphie <-ame>	Graphie <-amme>	Graphie <-emme>
un drame	un programme	une femme
une dame		
Madame		

[a] + [ʀ]

Graphie <-ar>	Graphie <-are>	Graphie <-ard>	Graphie <-art>
car	une gare	un boulevard	un art
par		un égard	un départ
	rare	un hasard	un écart
		un milliard	un quart
		un regard	
		un retard	une part
		un standard	la plupart
		tard	

[a] + autres

arabe	un stade	une campagne	un espace	une chasse	grave
	malade	une montagne	une face	une classe	
un sac			une surface	une masse	une base
	une vague	une étape	une trace		une phase
chaque				une date	
			efficace	démocrate	

3. Le phonème [a] suivi de plusieurs consonnes

[ab] + autre	[ak] + autre	[aʀ] + autre	[at] + autre	[a] + autres
un sable	un spectacle	un arbre	un match	un cadre
une table	une taxe	un parc	quatre	un cinéaste
agréable	un contact	une charge	battre	vaste
capable	un impact	une marge		
favorable				
indispensable	un acte	large		
remarquable				
responsable		une démarche		
véritable				
		une arme		
		un gendarme		
		mars		
		une carte		

Exercice 1 : Trouvez le mot mal orthographié dans les listes suivantes et corrigez-le.

1. contras, repas, cinéma, mandat _____

2. gare, boulevare, départ, regard _____

3. classe, trace, original, famme _____

4. remarquable, impacte, parc, vaste _____

5. espace, opéra, surfasse, paysage _____

Exercice 2 : Ecrivez les mots dont vous avez la transcription en API.

1. [stɑ̃daʀ] _____   7. [ɛfikas] _____

2. [atɑ̃ta] _____   8. [sɛ̃dikal] _____

3. [mɔ̃taɲ] _____   9. [mas] _____

4. [sineast] _____   10. [batʀ] _____

5. [kameʀa] _____   11. [mɔ̃djal] _____

6. [pɛʀsɔnaʒ] _____   12. [ʃas] _____

6. Le phonème [ɑ] en syllabe finale

Mieux être soi-même **grâce** au **théâtre**.

La phrase ci-dessus comprend deux mots dont la syllabe finale contient [ɑ].

Ce phonème s'écrit souvent *â*.

1. Le phonème [ɑ] en finale absolue

Graphie <-ât>

un bât
un dégât
un mât

2. Le phonème [ɑ] suivi d'une ou deux consonnes

[ɑ] + [ʒ]	[ɑ] + [ʃ]	[ɑ] + [m]	[ɑ] + [s]	[ɑ] + [t]	[ɑ] + [tʀ]
Graphie <-âge>	Graphie <-âche>	Graphie <-âme>	Graphie <-âce>	Graphie <-âte>	Graphie <-âtre>
un âge	une tâche	une âme	une grâce	une pâte	un théâtre
	lâche				

Exercice 1 : Trouvez le mot mal orthographié dans les listes suivantes et corrigez-le.

1. batir, partir, charger, bât _____

2. année, agée, apnée, anémiée_____

3. ânimé, âme, aimé, âne_____

4. pâtte, pâtes, pâtisserie _____

5. graisseux, grâcieux, grâce _____

Exercice 2 : Ecrivez les mots dont vous avez la transcription en API. Attention, certains mots contiennent des [a] *et d'autres des* [ɑ]*.*

1. [la taʃ] _____

2. [la tɑʃ] _____

3. [gʀasjø] _____

4. [la gʀɑs] _____

5. [la lam] _____

6. [lɑm] _____

7. [la aʃ] _____

8. [lɑʒ] _____

9. [la paʒ] _____

10. [le pɑt] _____

7. Le phonème [ɑ̃] en syllabe finale

> Ces jeunes **gens** ont été mis **en** examen pour avoir roué de coups un **étudiant** de 27 **ans**.

La phrase ci-dessus comprend quatre mots dont la syllabe finale contient **[ɑ̃]**.

1. Le phonème [ɑ̃] en finale absolue

Plusieurs graphies avec la lettre <-e-> sont possibles :

Graphie <-emps>	Graphie <-en>	Graphie <-ens>	Graphie <-ent>	Graphie <-e/-iment>
un printemps un temps longtemps	en	des gens	un accident un adolescent un agent un argent un argument un client un concurrent un continent un document un élément un incident un instrument un moment un parent un président un talent un vent cent différent évident lent patient permanent présent récent	un aménagement un appartement un changement un comportement un département un déplacement un développement un engagement un enseignement un entraînement un environnement un équipement un établissement un événement un financement un fonctionnement un gouvernement un investissement un jugement un lancement un logement un mouvement un parlement un placement un règlement un renseignement un traitement un vêtement un bâtiment un sentiment

Plusieurs graphies avec la lettre <-a-> sont possibles :

Graphie <-amp>	Graphie <-an>	Graphie <-anc>	Graphie <-and>	Graphie <-ang>	Graphie <-ans>	Graphie <-ant>
un camp	un an	blanc	allemand	un rang	dans	un commerçant
un champ	un bilan	franc	grand	un sang	sans	un correspondant
	un écran					un enfant
	un partisan		quand			un enseignant
	un plan					un étudiant
	un roman					un géant
						un habitant
						un instant
						un militant
						un participant
						un représentant
						important
						indépendant
						puissant
						avant
						concernant
						devant
						durant
						pendant
						pourtant
						quant (à)

2. Le phonème [ɑ̃] suivi d'une consonne

[ɑ̃] + [k]	[ɑ̃] + [d]	[ɑ̃] + [g]	[ɑ̃] + [ʒ]	[ɑ̃] + [ʃ]	[ɑ̃] + [ʀ]
Graphie <-anque>	Graphie <-ande>	Graphie <-angue>	Graphie <-ange>	Graphie <-anche>	Graphie <-enre>
une banque	une bande	une langue	un échange	un dimanche	un genre
	une demande				
				une manche	
				une revanche	

[ɑ̃] + [s]

Graphie <-ence>		Graphie <-ance>		Graphie <-ense>	Graphie <-anse>
une absence	une exigence	une alliance	une importance	une défense	une danse
une agence	une existence	une ambiance	une indépendance	une dépense	
une audience	une expérience	une assistance	une instance		
une compétence	une influence	une assurance	une naissance	immense	
une concurrence	une présence	une chance	une performance		

une conférence	une référence
une conscience	une science
une conséquence	un silence
une différence	une urgence
une évidence	une violence

une circonstance	une puissance
une confiance	une reconnaissance
une connaissance	une résistance
une croissance	une séance
une distance	une surveillance
une enfance	une tendance
une finance	une vacance

[ɑ̃] + [t]

Graphie <-ente>	Graphie <-ante>	
une vente	cinquante	septante
	nonante	soixante
trente	quarante	

3. Le phonème [ɑ̃] suivi de plusieurs consonnes

[ɑ̃bʀ]		[ɑ̃pl]	[ɑ̃tʀ]
un membre	une chambre	un exemple	un centre
décembre			entre
novembre			
septembre			

Exercice 1 : Trouvez le mot mal orthographié dans les listes suivantes et corrigez-le.

1. environemment, règlement, traitement, département _____

2. bilan, san, écran, plan _____

3. participant, adolesçant, commerçant, enfant_____

4. parent, patiant, enseignant, concurrent _____

5. décembre, membre, chambre, septembre _____

Exercice 2 : Ecrivez les mots dont vous avez la transcription en API.

1. [lɑ̃g] _____ 6. [ʒɑ̃] _____

2. [eʃɑ̃ʒ] _____ 7. [ɑ̃gaʒmɑ̃] _____

3. [imɑ̃s] _____ 8. [ɑ̃] _____

4. [sjɑ̃s] _____ 9. [lɑ̃] _____

5. [seɑ̃s] _____ 10. [ʀefeʀɑ̃s] _____

8.   Le phonème [b]

> **Beaucoup** de monde se **mobilise** aujourd'hui pour la rénovation de l'**abbaye** romane de Conques.

La phrase ci-dessus contient trois mots présentant le phonème **[b]**.

Deux graphies sont possibles :

Graphie <-b->	Graphie <-bb->
un abandon	un abbé
	un sabbat
aboutir	
contribuer	une abbaye
déboucher	
débuter	
distribuer	
doubler	
établir	
habiter	
sembler	
subir	
symboliser	
tomber	

Exercice 1 : Ecrivez les mots dont vous avez la transcription en API.

1. [abutiʀ] _____

2. [abe] _____

3. [debyte] _____

4. [abite] _____

5. [duble] _____

6. [sɑ̃ble] _____

7. [saba] _____

8. [abei] _____

9. [sybiʀ] _____

10. [tɔ̃be] _____

9. Le phonème [k]

> Elle **acquiert** de l'**expérience** et se **perfectionne** en vue de **conquérir** le marché français.

La phrase ci-dessus contient quatre mots présentant le phonème **[k]**.

Plusieurs graphies sont possibles :

Graphie <-c->	Graphie <-cc->	Graphie <-ch->	Graphie <-qu->	Graphie <-cqu->	Graphie <-k->
cacher	accompagner	un orchestre	une bibliothèque	acquérir	un kilo
comprendre	accueillir	une psychologie	un disque		un kilomètre
compter	accuser	un technicien	une enquête		un kiwi
confronter	occuper		un équilibre		
conter					
convaincre			appliquer		
couvrir			attaquer		
cultiver			bloquer		
écarter			conquérir		
écouter			critiquer		
encourager			évoquer		
raconter			expliquer		
recouvrir			fabriquer		
recueillir			impliquer		
récupérer			indiquer		
rencontrer			inquiéter		
			invoquer		
			manquer		
			marquer		
			masquer		
			pratiquer		
			provoquer		
			quitter		
			remarquer		
			revendiquer		
			risquer		

Le phonème [k] se retrouve aussi dans la séquence [ks] :

Graphie <-cc->	Graphie <-x->
accéder	un contexte
accentuer	un texte
accepter	
succéder	exclure
	exploiter
	exposer
	exprimer
	extrême
	fixer

Exercice 1 : Trouvez le mot mal orthographié dans les listes suivantes et corrigez-le.

1. ils accueillent, nous reccueillons, tu provoques, je m'inquiète _____

2. raconter, pratiquer, rencontrer, concuérir _____

3. enquête, masque, orquestre, texte _____

4. recouvrir, conquérir, aquérir, accueillir _____

5. exprimer, réccupérer, accentuer, exploiter _____

Exercice 2 : Ecrivez les mots dont vous avez la transcription en API.

1. [ɛkstʀɛm] _____

2. [aksɛpte] _____

3. [akyze] _____

4. [kɔ̃te] _____

5. [syksede] _____

6. [akeʀiʀ] _____

7. [kɔ̃keʀiʀ] _____

8. [akœjiʀ] _____

9. [ekilibʀ] _____

10. [ɔʀkɛstʀ] _____

10. Le phonème [d]

> Tout cela n'était rien **d'**autre qu'une fausse **addition** de **défauts** faisant le charme absolu d'une très **grande** actrice

La phrase ci-dessus contient quatre mots présentant le phonème **[d]**.

Deux graphies sont possibles :

Graphie <-d->		Graphie <-dd->
adapter	interdire	une addiction
adopter	introduire	une addition
aider	perdre	
céder	persuader	
conduire	précéder	
contraindre	prendre	
craindre	produire	
déboucher	réduire	
déclarer	rendre	
déclencher	surprendre	
découler	suspendre	
découvrir	tendre	
décrire	traduire	
destiner	valider	
détruire	vendre	
diviser		
induire		

Exercice 1 : Ecrivez les mots dont vous avez la transcription en API.

1. [nuzɛ̃tɛʁdizɔ̃] _____

2. [ilpɛʁd] _____

3. [ʒəsɛd] _____

4. [tydeklaʁ] _____

5. [vukɔ̃dɥize] _____

6. [ʒədeklɑ̃ʃ] _____

7. [typʁesɛd] _____

8. [ilzadisjɔn] _____

9. [nuvɑ̃djɔ̃] _____

10. [iltʁadɥiʁɔ̃] _____

a
ɑ
ã
b
k
d
ø
œ
œ̃
e
ɛ
ɛ̃
f
g
i
j
ʒ
ʃ
l
m
n
ɲ
ŋ
o
ɔ
ɔ̃
p
ʁ
s
t
y
ɥ
u
v
w
z

11. Le phonème [ø] en syllabe finale

Je vous offre mes meilleurs **vœux** pour cet **heureux** accomplissement.

La phrase ci-dessus comprend deux mots dont la syllabe finale contient **[ø]**.

1. Le phonème [ø] en finale absolue

Plusieurs graphies sont possibles :

Graphie <-eu> / <-eue>	Graphie <-eux>	Graphie <-œu> / <-œud> / <-œufs>	Graphie <-eur>
un aveu	dangereux	un vœu	monsieur
un cheveu	fameux		messieurs
un dieu	heureux	un nœud	
un enjeu	nombreux		
un feu	précieux	des bœufs	
un jeu	religieux	des œufs	
un lieu	rigoureux		
un milieu	sérieux		
un neveu	soucieux		
un pneu	vieux		
	vigoureux		
bleu			
	deux		
une banlieue			
	des yeux		

2. Le phonème [ø] suivi d'une ou deux consonnes

[ø] + [l] Graphie <-eule>	[ø] + [z] Graphie <-euse>	[ø] + [tʀ] Graphie <-eutre>	[ø] + autres
une meule	- tous les féminins des adjectifs en -*eux* : dangereuse	un feutre	une émeute
		neutre	une meute
	- les féminins de certains noms en -*eur* : une danseuse		un jeûne

Exercice 1 : Trouvez le mot mal orthographié dans les listes suivantes et corrigez-le.

1. courageux, œux, fâcheux, soigneux _____

2. feu, essieu, bleu, odieu _____

3. eux, aïeux, messieux, vieux_____

4. vœud, nœud, bœufs, banlieue _____

5. il pleut, la queue leu leu, dieu, mieu _____

Exercice 2 : Ecrivez les mots dont vous avez la transcription en API.

1. [ljø] _____   6. [ʀəliʒjø] _____

2. [lezjø] _____   7. [nø] _____

3. [seʀjø] _____   8. [ø] _____

4. [bø] _____   9. [nəvø] _____

5. [dø] _____   10. [avø] _____

12. Le phonème [œ] en syllabe finale

> Il a non seulement un véritable **cœur** mais aussi la capacité **de** travailler avec son gouvernement et **le peuple** brésilien pour encourager la prospérité et lutter contre la faim.

La phrase ci-dessus comprend quatre mots dont la syllabe finale contient **[œ]**.

1. Le phonème [œ] en finale absolue

En finale absolue, une seule graphie est possible :

Graphie <-e>

---

ce
de
je
le
ne
parce que
que
quelque
se

2. Le phonème [œ] suivi d'une consonne

[œ] + [ʀ]		Graphie <-eure>	Graphie <-eurs>	Graphie <-œur >	[œ] + autres
Graphie <-eur>					
un acteur	un professeur	une heure	plusieurs	un cœur	une épreuve
un administrateur	un secteur				une preuve
un amateur	un spectateur			une sœur	
un auteur	un travailleur				jeune
un bonheur	un vainqueur				
un chanteur	un visiteur				neuf
un chercheur					
un chômeur	une couleur				seul
un consommateur	une erreur				
un constructeur	une faveur				un club
un défenseur	une hauteur				
un directeur	une odeur				
un éditeur	une peur				
un électeur	une rumeur				
un enquêteur	une valeur				
un facteur	une vigueur				
un fondateur					

un gouverneur	conservateur			
un honneur	extérieur			
un ingénieur	inférieur			
un joueur	intérieur			
un lecteur	majeur			
un moteur	meilleur			
un opérateur	mineur			
un ordinateur	supérieur			
un organisateur				
un producteur	leur			

3. Le phonème [œ] suivi de plusieurs consonnes

[œbl]	[œpl]	[œʀtʀ]
un immeuble	un peuple	un meurtre

Exercice 1 : Trouvez le mot mal orthographié dans les listes suivantes et corrigez-le.

1. conservateur, mineur, heur, lecteur _____

2. meurtre, plusieur, neuf, preuve _____

3. couleur, odeur, ceur, leur_____

4. sœur, meilleur, pœur, peuple _____

5. imeuble, club, seul, jeune _____

Exercice 2 : Ecrivez les mots dont vous avez la transcription en API.

1. [pʀɔfɛsœʀ] _____

2. [ʃomœʀ] _____

3. [ɛʀœʀ] _____

4. [vɛ̃kœʀ] _____

5. [kœʀ] _____

6. [pʀœv] _____

7. [mœʀtʀ] _____

8. [sœʀ] _____

9. [klœb] _____

10. [imœbl] _____

13. Le phonème [œ̃] en syllabe finale

Chacun se met dans la peau d'**un** indien et choisit un nom d'**emprunt**.

La phrase ci-dessus comprend trois mots dont la syllabe finale contient **[œ̃]**.

1. Le phonème [œ̃] en finale absolue

Plusieurs graphies sont possibles :

Graphie <-um>	Graphie <-un>	Graphie <-unt>
un parfum	aucun	un emprunt
	chacun	
	commun	
	un	

Exercice 1 : Ecrivez les mots dont vous avez la transcription en API.

1. [kɔmœ̃] _____

2. [ʃakœ̃] _____

3. [œ̃] _____

4. [okœ̃] _____

5. [ɑ̃pʁœ̃] _____

6. [paʁfœ̃] _____

a
ɑ
ɑ̃
b
k
d
ø
œ
œ̃
e
ɛ
ɛ̃
f
g
i
j
ʒ
ʃ
l
m
n
ɲ
ŋ
o
ɔ
ɔ̃
p
ʁ
s
t
y
ɥ
u
v
w
z

14. Le phonème [e] en syllabe finale

> Le directeur s'est même permis de **doubler** ce **courrier chez** certains **salariés** par une lettre de menace, signifiant à une **poignée** de salariés que s'ils ne se remettaient pas au boulot à la **rentrée**, ils seraient responsables des licenciements.

La phrase ci-dessus comprend six mots dont la syllabe finale contient **[e]**.

1. Le phonème [e] en finale absolue

Plusieurs graphies sont possibles :

Graphie <-é>			Graphie <-ée>	Graphie <-er>
un allié	un arrêté	un comité	un lycée	un danger
un café	un côté		un musée	un étranger
un carré	un député	une activité		
un délégué	un été	une actualité	une année	léger
un employé	un traité	une autorité	une armée	
un réfugié		une capacité	une arrivée	
un salarié	une beauté	une cité	une assemblée	
	une communauté	une efficacité	une durée	
une clé	une difficulté	une entité	une idée	
une moitié	une liberté	une humanité	une journée	
	une santé	une identité	une soirée	
âgé	une société	une majorité		
armé	une volonté	une nécessité		
privé		une personnalité		
		une possibilité		
malgré		une priorité		
		une proximité		
		une publicité		
		une qualité		
		une réalité		
		une responsabilité		
		une sécurité		
		une solidarité		
		une unité		
		une université		
		une vérité		

Autres graphies :

Graphie <et>	Graphie <-ez>	Graphie <cd>
et	un nez	un cd
	chez	

Exercice 1 : Trouvez le mot mal orthographié dans les listes suivantes et corrigez-le.

1. possibilité, réallité, sécurité, activité _____

2. eficacité, nécessité, personnalité, proximité _____

3. sociétée, année, durée, journée_____

4. légé, danger, privé, clé _____

5. étranger, carré, musé, café _____

Exercice 2 : Ecrivez les mots dont vous avez la transcription en API.

1. [tʀɛte] _____

6. [e] _____

2. [bote] _____

7. [asɑ̃ble] _____

3. [ʀefyʒje] _____

8. [alje] _____

4. [kɔmynote] _____

9. [lise] _____

5. [dyʀe] _____

10. [ymanite] _____

a
ɑ
ã
b
k
d
ø
œ
œ̃
e
ɛ
ɛ̃
f
g
i
j
ʒ
ʃ
l
m
n
ɲ
ŋ
o
ɔ
ɔ̃
p
ʀ
s
t
y
ɥ
u
v
w
z

15. Le phonème [ɛ] en syllabe finale

> Le **secret** du **succès**: l'**échec**! Ce qui ne vous tue pas vous rend plus fort, il n'y a rien de plus **vrai** en **affaires**.

La phrase ci-dessus comprend cinq mots dont la syllabe finale contient [ɛ].

1. Le phonème [ɛ] en finale absolue

Plusieurs graphies avec la lettre <-e-> sont possibles :

Graphie <-ect>	Graphie <-ès>	Graphie <-et>	Graphie <-êt>
un aspect	un accès	un billet	un arrêt
un respect	un congrès	un budget	un intérêt
	un procès	un cabinet	
	un progrès	un carnet	une forêt
	un succès	un déchet	
		un effet	prêt
	auprès	un objet	
	dès	un préfet	
		un projet	
		un secret	
		un sommet	
		un sujet	
		juillet	
		complet	
		discret	

Plusieurs graphies avec la lettre <-a-> sont possibles :

Graphie <-ai>	Graphie <-aie>	Graphie <-ais>	Graphie <-ait>	Graphie <-aix>
un délai	une monnaie	un palais	un fait	une paix
un essai			un lait	
		anglais	un portrait	
mai		frais	un retrait	
		français		
vrai		japonais		
		mauvais		
		néerlandais		
		mais		

2. Le phonème [ɛ] suivi d'une consonne

[ɛ] + [k] Graphie <-ec>	[ɛ] + [d] Graphie <aide>	[ɛ] + [f] Graphie <-ef>	[ɛ] + [ʒ] Graphie <-ège>	[ɛ] + [l] Graphie <-el>		Graphie <-èle>	Graphie <-elle>
un échec	une aide	un chef	un siège	un appel	naturel	un modèle	une échelle
				un ciel	officiel		
sec		bref		un hôtel	personnel	fidèle	elle
					potentiel		
avec				actuel	professionnel		actuelle
				annuel	réel		annuelle
				audiovisuel	sexuel		audiovisuelle
				criminel	tel		etc.
				culturel	traditionnel		
				essentiel	universel		
				éventuel			
				exceptionnel			
				individuel	auquel		
				industriel	duquel		
				intellectuel	lequel		
				matériel	quel		

[ɛ] + [m] Graphie <-ème>	Graphie <-ême>	[ɛ] + [n] Graphie <-eine>	Graphie <-ène>	Graphie <-aine>	Graphie <-aîne>
un problème	même	une peine	un phénomène	un domaine	une chaîne
un système		une reine			
un thème			une scène	une centaine	
				une dizaine	
cinquième				une semaine	
deuxième				une vingtaine	
quatrième					
troisième					

[ɛ] + [ʀ] Graphie <-er>	Graphie <-ère>	Graphie <-erre>	Graphie <-ers>	Graphie <-ert>	Graphie <-air>	Graphie <-aire>
un fer	un caractère	une guerre	un tiers	un concert	un air	un adversaire
un hiver	un critère	une pierre	un univers	un expert		un anniversaire
	un frère	une terre		un transfert	clair	un commentaire
une mer	un ministère		divers			un commissaire
	un père			vert		un fonctionnaire
cher			vers			un partenaire
	une carrière		travers			un propriétaire
	une frontière					un salaire
	une lumière					un secrétaire

a
ɑ
ã
b
k
d
ø
œ
œ̃
e
ɛ
ɛ̃
f
g
i
j
ʒ
ʃ
l
m
n
ɲ
ŋ
oˑ
ɔ
õ
p
ʀ
s
t
y
ɥ
u
v
w
z

une manière					une affaire
une matière					
une mère					bancaire
					complémentaire
arrière					contraire
					documentaire
guère					exemplaire
					extraordinaire
derrière					hebdomadaire
					horaire
					judiciaire
					littéraire
					militaire
					nécessaire
					nucléaire
					populaire
					scolaire
					spectaculaire
					supplémentaire
					universitaire
					faire
					satisfaire

[ɛ] + [s]

Graphie <-èce>	Graphie <-esse>	Graphie <-aisse>
une espèce	une adresse	une caisse
une pièce	une jeunesse	
	une presse	
	une vitesse	

[ɛ] + [t]

Graphie <-ept>	Graphie <-et>	Graphie <-ète>	Graphie <-ête>	Graphie <-ette>	Graphie <-aite>
sept	internet	un poète	une fête	une assiette	une défaite
			une tête	une dette	une retraite
	net	une planète		une recette	
			bête	une vedette	

[ɛ] + [v]

Graphie <-ève>	Graphie <-êve>
un élève	un rêve
une grève	

[ɛ] + [z]

Graphie <-eize>	Graphie <-èse>
seize	une hypothèse

3. Le phonème [ɛ] suivi de plusieurs consonnes

[ɛb] + autre	[ɛk] + autre	[ɛg] + autre	[ɛn] + autre	[ɛʀ] + autre	[ɛs] + autre	[ɛt] + autre
faible	un siècle complexe	une règle	un weekend	un cercle une recherche	l'est (masc.) l'ouest (masc.) un test	un kilomètre un mètre
	direct			un terme		être peut-être
					un geste	
	un architecte			moderne interne		mettre
					modeste	
				une perte		un maître

Exercice 1 : Trouvez le mot mal orthographié dans les listes suivantes et corrigez-le.

1. billet, complêt, effet, arrêt _____

2. accès, respès, procès, progrès _____

3. discret, intérêt, déchêt, forêt_____

4. frais, palais, lait, portrais _____

5. délai, mai, monnai, vrai _____

Exercice 2 : Trouvez le mot mal orthographié dans les listes suivantes et corrigez-le.

1. siecle, cercle, architecte, échec _____

2. bref, chef, avec, aid _____

3. mer, cher, diver, hiver_____

4. affaire, nécessaire, fraire, salaire _____

5. jeunesse, recette, planète, dète _____

Exercice 3 : Trouvez le mot mal orthographié dans les listes suivantes et corrigez-le.

1. universel, réel, officiel, model _____

2. potentiel, anuel, industriel, actuel_____

3. elle, échelle, essentielle, hôtelle_____

4. test, pièce, ouest, gest _____

5. système, intèrne, planète, fidèle _____

a
ɑ
ɑ̃
b
k
d
ø
œ
œ̃
e
ɛ
ɛ̃
f
g
i
j
ʒ
ʃ
l
m
n
ɲ
ŋ
o
ɔ
ɔ̃
p
ʀ
s
t
y
ɥ
u
v
w
z

Exercice 4 : Ecrivez les mots dont vous avez la transcription en API.

1. [ʒœnɛs] _____

2. [defɛt] _____

3. [ɛspɛs] _____

4. [mɛtʀ] _____

5. [ɛbdɔmadɛʀ] _____

6. [ɛkspɛʀ] _____

7. [fɛt] _____

8. [kɔmisɛʀ] _____

9. [aʀjɛʀ] _____

10. [gʀɛv] _____

16. Le phonème [ɛ̃] en syllabe finale

| Si on joue sur un **terrain plein** d'eau, ça ne sert à **rien** ! |

La phrase ci-dessus comprend trois mots dont la syllabe finale contient [ɛ̃].

1. Le phonème [ɛ̃] en finale absolue

Plusieurs graphies sont possibles :

Graphie <-ain>	Graphie <-ein>	Graphie <-en>	Graphie <-ien>	Graphie <-in>	Graphie <-yen>
un écrivain	un sein	un examen	un chien	un chemin	un citoyen
un lendemain			un comédien	un dessin	un moyen
un terrain	plein		un entretien	un jardin	
un train			un gardien	un magasin	
			un historien	un matin	
une main			un lien	un médecin	
			un maintien	un vin	
africain			un musicien	un voisin	
américain			un soutien		
certain				juin	
contemporain			aérien		
humain			algérien	une fin	
prochain			ancien		
républicain			chrétien	féminin	
urbain			italien		
			parisien	afin	
			quotidien		
			rien		
			bien		
			combien		

a ɑ ɑ̃ b k d ø œ œ̃ e ɛ **ɛ̃** f g i j ʒ ʃ l m n ɲ ŋ o ɔ ɔ̃ p ʀ s t y ɥ u v w z

2. Le phonème [ɛ̃] suivi d'une consonne

[ɛ̃] + [k]	[ɛ̃] + [s]	[ɛ̃] + [t]	[ɛ̃] + [t]	[ɛ̃] + [z]
Graphie <-inq>	Graphie <-ince>	Graphie <-ainte>	Graphie <-ingt>	Graphie <-inze>
cinq	un prince	une plainte	vingt	quinze
	une province			

3. Le phonème [ɛ̃] suivi de plusieurs consonnes

[ɛ̃pl]	[ɛ̃tʀ]
simple	un peintre

Exercice 1 : Trouvez le mot mal orthographié dans les listes suivantes et corrigez-le.

1. prochain, main, humain, plain, urbain _____

2. chemin, juin, dessin, écrivin _____

3. examen, italien, trein, soutien_____

4. chrétien, quotidien, prence, maintien _____

5. peintre, pleinte, simple, quinze _____

Exercice 2 : Ecrivez les mots dont vous avez la transcription en API.

1. [lɑ̃dəmɛ̃] _____   6. [ljɛ̃] _____

2. [sɛʀtɛ̃] _____   7. [sutjɛ̃] _____

3. [vɛ̃t] _____   8. [ʃəmɛ̃] _____

4. [mwajɛ̃] _____   9. [plɛ̃] _____

5. [kɔ̃bjɛ̃] _____   10. [medsɛ̃] _____

17. Le phonème [f]

> Joint par **téléphone**, l'un des **chefs** de la toute nouvelle rébellion a **affirmé** que leur **objectif** était de descendre vers le sud d'où est exporté le **café**.

La phrase ci-dessus contient cinq mots présentant le phonème **[f]**.

Trois graphies sont possibles :

Graphie <-f->	Graphie <-ff->	Graphie <-ph->
confirmer	affecter	une pharmacie
défendre	afficher	une philosophie
fermer	affirmer	une phonétique
former	affronter	une phrase
fournir	diffuser	une physique
franchir	effectuer	
informer	offrir	photographier
manifester	souffrir	téléphoner
préférer	suffire	
profiter		
réfléchir		
refuser		
renforcer		
transformer		

Exercice 1 : Trouvez le mot mal orthographié dans les listes suivantes et corrigez-le.

1. défendre, profiter, afronter, informer _____

2. souffrir, affirmer, reffuser, offrir _____

3. suffire, fournire, réfléchir, franchir_____

4. préfférer, former, effectuer, diffuser _____

5. photographier, téléphoner, maniphester, télégraphier _____

Exercice 2 : Ecrivez les mots dont vous avez la transcription en API.

1. [fʀaz] _____

2. [afiʃe] _____

3. [ʃaʀmasi] _____

4. [fɔʀme] _____

5. [fɛʀme] _____

6. [syfiʀ] _____

7. [sufʀiʀ] _____

8. [ɔfʀiʀ] _____

9. [fuʀniʀ] _____

10. [pʀɔfite] _____

a
ɑ
ɑ̃
b
k
d
ø
œ
œ̃
e
ɛ
ɛ̃
f
g
i
j
ʒ
ʃ
l
m
n
ɲ
ŋ
o
ɔ
ɔ̃
p
ʀ
s
t
y
ɥ
u
v
w
z

18. Le phonème [g]

> J'ai beau leur expliquer qu'il faut défendre son pays contre les occupants, leur citer **également** les **dégâts** dus à cette **guerre**, il n'y a rien à faire, le traumatisme est tel qu'il me semble impossible de le **guérir** en si peu de temps.

La phrase ci-dessus contient quatre mots présentant le phonème **[g]**.

Deux graphies sont possibles :

Graphie <-g->	Graphie <-gu->
augmenter	un collègue
dégager	un délégué
engager	
figurer	une guerre
gagner	une longueur
garantir	
garder	
organiser	
regarder	
régler	
regrouper	

Le phonème [g] peut aussi être suivi d'une consonne :

[gz] Graphie <-x->	[gʒ] Graphie <-gg->
une exécution	suggérer
auxiliaire	
exact	
examiner	
exercer	
exiger	
exister	

Exercice 1 : Trouvez le mot mal orthographié dans les listes suivantes et corrigez-le.

1. longueur, déléguer, figurer, guarder _____

2. augmenter, engager, egsiger, regrouper_____

3. examiner, exercer, orguaniser, exact_____

4. suggérer, enggager, exécution, exister _____

5. collègue, gerre, auxiliaire, garantir_____

Exercice 2 : Ecrivez les mots dont vous avez la transcription en API.

1. [ʒɑ̃gaʒɛ] _____

2. [nugaʀɑ̃tiʀɔ̃] _____

3. [tyɛgzist] _____

4. [ilzɛgziʒɛ] _____

5. [vuʀegle] _____

6. [ilgaʀɑ̃tis] _____

7. [ɛlsygʒɛʀ] _____

8. [nufigyʀʀɔ̃] _____

9. [lɔ̃gœʀ] _____

10. [egzekysjɔ̃] _____

19. Le phonème [i] en syllabe finale

L'**économiste** américain, **prix** Nobel 1981, est mort **lundi** à l'âge de 84 ans.

La phrase ci-dessus comprend trois mots dont la syllabe finale contient **[i]**.

1. Le phonème [i] en finale absolue

Plusieurs graphies sont possibles :

Graphie <-i>	Graphie <-ie>	Graphie <-il>	Graphie <-is>	Graphie <-it>	Graphie <-ix>	Graphie <-y> / <-ys>
un ami	une catégorie	un outil	un avis	un circuit	un prix	y
un après-midi	une comédie			un conflit		
un défi	une compagnie		gris	un crédit		un pays
un jeudi	une démocratie		précis	un déficit		
un lundi	une économie			un dépit		
un mardi	une énergie		depuis	un esprit		
un mari	une envie		puis	un fruit		
un mercredi	une galerie		tandis	un lit		
un midi	une gendarmerie			un profit		
un samedi	une industrie			un récit		
un souci	une maladie					
un vendredi	une pluie			une nuit		
	une série					
demi	une sortie			gratuit		
mi	une stratégie			petit		
uni	une technologie					
	une vie					
ainsi						
ceci						
celui						
-ci						
ni						
oui						
parmi						
qui						
si						
voici						

2. Le phonème [i] suivi d'une consonne

[i] + [k]

Graphie <-ic>	Graphie <-ique>	
un trafic	une musique	juridique
		logique
public (masc.)	artistique	physique
	asiatique	politique
	britannique	pratique
	catholique	publique (fém.)
	classique	scientifique
	critique	spécifique
	démocratique	statistique
	économique	technique
	électronique	touristique
	historique	unique
	informatique	

[i] + [d]

Graphie <-ide>
un guide
rapide
solide
vide

[i] + [f]

Graphie <-if>	
un dispositif	négatif
un tarif	objectif
	passif
actif	positif
administratif	relatif
alternatif	sportif
collectif	vif
définitif	
effectif	
exécutif	
juif	
législatif	
massif	

[i] + [ʃ]

Graphie <-iche>
riche

[i] + [l]

Graphie <-il>	Graphie <-ile>	Graphie <-île>	Graphie <-yle>
un fil	un domicile	une île	un style
avril	une huile		
civil	automobile		
	difficile		
il	facile		
	utile		

[i] + [m]

Graphie <-ime>
un crime
un régime
une prime
une victime

[i] + [n]

Graphie <-ine>
un magazine
une cuisine
une discipline
une machine
une mine
une origine
une usine

[i] + [ɲ]

Graphie <-igne>
un signe
une ligne

[i] + [p]

Graphie <-ipe>	Graphie <-ype>
un principe	un type
une équipe	

[i] + [R]

Graphie <-ir>	Graphie <-ire>
un avenir	pire
un désir	
un loisir	
un plaisir	
un tir	

[i] + [s]

Graphie <-ice>	Graphie <-ils>	Graphie <-is>	Graphie <-isse>	Graphie <-ix>
un bénéfice	un fils	un tennis	suisse	dix
un exercice				six
un indice				
un office				
un service				
un vice				
une justice				
une police				

a ɑ ɑ̃ b k d ø œ œ̃ e ɛ ɛ̃ f g i j ʒ ʃ l m n ɲ ŋ o ɔ ɔ̃ p R s t y ɥ u v w z

a
ɑ
ã
b
k
d
ø
œ
œ̃
e
ɛ
ɛ̃
f
g
i
j
ʒ
ʃ
l
m
n
ɲ
ŋ
o
ɔ
ɔ̃
p
ʀ
s
t
y
ɥ
u
v
w
z

[i] + [t]		[i] + [v]	[i] + [z]
Graphie <-ite>	Graphie <-it>	Graphie <-ive>	Graphie <-ise>
un satellite	huit	une initiative	une crise
un site		une perspective	une église
		une tentative	une entreprise
une limite			une surprise
une poursuite		active	
une réussite		administrative	
une suite		alternative	
une visite		etc.	
vite			

3. Le phonème [i] suivi de plusieurs consonnes

[ib] + autre	[ik] + autre	[if] + autre	[il] + autre	[ip] + autre	[iʀ] + autre	[is] + autre	[it] + autre
accessible	un article	un chiffre	un film	multiple	une firme	puisque	un rythme
disponible							
impossible						un organisme	un arbitre
possible						un tourisme	un titre
sensible							
susceptible						un artiste	
						un journaliste	
libre						un spécialiste	
						une liste	
						une piste	
						communiste	
						nationaliste	
						socialiste	[iv] + autre
						un ministre	un livre

Exercice 1 : Trouvez le mot mal orthographié dans les listes suivantes et corrigez-le.

1. lundi, mari, crédi, souci _____

2. catégorie, démocratie, sortie, avie _____

3. depuis, gris, déficis, précis_____

4. énergie, prix, circuit, espris _____

5. conflit, huit, fuit, outit _____

Exercice 2 : Trouvez le mot mal orthographié dans les listes suivantes et corrigez-le.

1. public, trafic, classic, article _____

2. rythme, pryme, pays, type _____

3. limite, organisme, loisire, pire_____

4. site, vite, fice, six _____

5. dispositif, chiffre, efectif, passif_____

Exercice 3 : Ecrivez les mots dont vous avez la transcription en API.

1. [istɔʀik] _____   6. [sɥis] _____

2. [min] _____   7. [piʀ] _____

3. [sɥit] _____   8. [masif] _____

4. [ʀeysit] _____   9. [ekip] _____

5. [sis] _____   10. [fis] _____

20. Le phonème [j] en syllabe finale

> La satisfaction de l'**oreille** n'est pas étrangère à celle de l'**œil**.

La phrase ci-dessus comprend deux mots dont la syllabe finale contient **[j]**.

1. Le phonème [j] en finale absolue

Deux graphies sont possibles :

Graphie <-il>	Graphie <-ille>
un accueil	une bataille
un appareil	une famille
un conseil	une fille
un détail	une oreille
un œil	une taille
un seuil	une veille
un soleil	
un travail	pareille
	vieille
pareil	
	Attention :
	mille [mil]
	un village [vilaʒ]
	une ville [vil]

2. Le phonème [j] suivi de la voyelle [e]

Graphie <-ier>			Graphie <-ied>
un atelier	boursier	justifier	un pied
un chantier	dernier	lier	
un courrier	entier	modifier	
un dossier	financier	négocier	
un métier	immobilier	privilégier	
un millier	particulier	qualifier	
un officier	premier	signifier	
un papier	routier		
un policier		**Attention :**	
un quartier	apprécier	un ouvrier [uvʀie]	
	associer	février [fevʀie]	
janvier	confier	multiplier [myltiplie]	
	étudier	oublier [ublie]	
	identifier		

Exercice 1 : Trouvez le mot mal orthographié dans les listes suivantes et corrigez-le.

1. vile, famille, fille, mille _____

2. détail, travail, batail, épouvantail _____

3. lier, milier, particulier, quartier_____

4. confier, apprécier, conseilier, signifier _____

5. courrier, dergnier, papier, atelier _____

Exercice 2 : Ecrivez les mots dont vous avez la transcription en API.

1. [akœj] _____   6. [apaʀɛj] _____

2. [nuzetydjɔ̃] _____   7. [metje] _____

3. [ʒəmɔdifiʀe] _____   8. [taj] _____

4. [œj] _____   9. [ɔfisje] _____

5. [paʀɛj] _____   10. [tysiɲifi] _____

21. Le phonème [ʒ]

> Les ventes de montres dont le prix est inférieur à 200 francs **enregistrent** un **léger** mieux en février.

La phrase ci-dessus contient deux mots présentant le phonème [ʒ].

Deux graphies sont possibles :

Graphie <-g->	Graphie <-j->
agir	ajouter
changer	jouer
charger	juger
enregistrer	rejeter
gérer	
partager	
plonger	
protéger	
ranger	
réagir	

Exercice 1 : Ecrivez les mots dont vous avez la transcription en API.

1. [vuzaʒisje] _____

2. [tyɑ̃RəʒistRəRa] _____

3. [nuʃaRʒɔ̃] _____

4. [ilReaʒis] _____

5. [ʒəplɔ̃ʒɛ] _____

6. [ilpaRtaʒRɔ̃] _____

7. [ʒəʃɑ̃ʒɛ] _____

8. [tyRɑ̃ʒ] _____

9. [vupRɔteʒe] _____

10. [nuʒɛRRɔ̃] _____

a
ɑ
ɑ̃
b
k
d
ø
œ
œ̃
e
ɛ
ɛ̃
f
g
i
j
ʒ
ʃ
l
m
n
ɲ
ŋ
o
ɔ
ɔ̃
p
R
s
t
y
ɥ
u
v
w
z

22. Le phonème [l]

> **Cela** doit constituer une entreprise **collective** à **laquelle** toutes les nations **collaborent** à travers les Nations unies et ses institutions **spécialisées** pour autant que cela soit **réalisable**.

La phrase ci-dessus contient six mots présentant le phonème [l].

Deux graphies sont possibles :

Graphie <-l->		Graphie <-ll->
aligner	mobiliser	un collège
célébrer	obliger	un collègue
contrôler	placer	un dollar
dérouler	réaliser	
élever	relancer	une intelligence
éliminer	relever	
élire	révéler	aller
évaluer	rouler	collaborer
évoluer	saluer	illustrer
lancer	signaler	installer
lever	souligner	
libérer	utiliser	
lire	voler	
livrer		

Exercice 1 : Trouvez le mot mal orthographié dans les listes suivantes et corrigez-le.

1. contrôler, réaliser, aler, évaluer _____

2. collège, dollar, évollution, intelligence _____

3. lever, lire, ilustrer, collaborer_____

Exercice 2 : Ecrivez les mots dont vous avez la transcription en API.

1. [nuzaljɔ̃] _____

2. [mɔ̃nilystʀəkɔlɛg] _____

3. [ʒəʀəlɛv] _____

4. [eliʀ] _____

5. [nusuliɲjɔ̃] _____

6. [dɔlaʀ] _____

7. [ilselɛbʀ] _____

8. [ʒəplasɛ] _____

9. [ɛ̃stale] _____

10. [tyʀevɛl] _____

a ɑ ɑ̃ b k d ø œ œ̃ e ɛ ɛ̃ f g i j ʒ ʃ l m n ɲ ŋ o ɔ ɔ̃ p ʀ s t y ɥ u v w z

23. Le phonème [m]

| Ce sont des lois qui condamnent **notamment** le **racisme** et l'**antisémitisme**. |

La phrase ci-dessus contient trois mots présentant le phonème **[m]**.

Deux graphies sont possibles :

Graphie <-m->		Graphie <-mm->
aimer	estimer	un commerce
améliorer	imaginer	
amener	limiter	commander
demander	marcher	commencer
demeurer	montrer	commenter
démontrer	ramener	commettre
diminuer	réclamer	communiquer
dominer	remonter	emmener
entamer	témoigner	nommer
		programmer

Exercice 1 : Trouvez le mot mal orthographié dans les listes suivantes et corrigez-le.

1. demeurer, dominer, nomer, montrer _____

2. ramener, emener, entamer, estimer _____

3. commencer, commercer, réclammer, communiquer_____

Exercice 2 : Ecrivez les mots dont vous avez la transcription en API.

1. [nukɔmɛtɔ̃] _____

2. [ilamɛn] _____

3. [tyɑ̃mɛn] _____

4. [vutemwaɲje] _____

5. [ɛllimitʁa] _____

6. [ʒənɔmʁe] _____

7. [ɛlameljɔʁɛ] _____

8. [vuzɑ̃tamʁe] _____

9. [ʒəkɔmynik] _____

10. [ilpʁɔgʁamɛ] _____

24. Le phonème [n]

Un projet de loi **constitutionnelle** sera **terminé** à l'**automne**.

La phrase ci-dessus contient trois mots présentant le phonème **[n]**.

Trois graphies sont possibles :

Graphie <-n->		Graphie <-nn->	Graphie <-mn->
animer	mener	abandonner	un automne
contenir	naître	annoncer	
continuer	parvenir	connaître	condamner
convenir	prévenir	donner	
définir	prononcer	étonner	
dénoncer	renoncer	fonctionner	
détenir	retenir	mentionner	
devenir	réunir	reconnaître	
entraîner	revenir		
entretenir	soutenir		
financer	souvenir		
finir	tenir		
intervenir	terminer		
maintenir	venir		
menacer			

Exercice 1 : Trouvez le mot mal orthographié dans les listes suivantes et corrigez-le.

1. menacer, mentioner, maintenir, mener _____

2. devenir, soutenir, étoner, entraîner_____

3. donner, annoncer, réunnir, fonctionner_____

Exercice 2 : Ecrivez les mots dont vous avez la transcription en API.

1. [nunɛtRɔ̃] _____

2. [ilmɑ̃sjɔnRɔ̃] _____

3. [otɔn] _____

4. [vudefinisje] _____

5. [ʒɛstimɛ] _____

6. [ilzanɔ̃sRɔ̃] _____

7. [tyRɛynisɛ] _____

8. [ilvjɛn] _____

9. [ilzɑ̃tRɛn] _____

10. [nudɔnɔ̃] _____

25. Le phonème [o] en syllabe finale

> La ville, dont les **travaux** s'étaient interrompus, **faute** d'argent, est à **nouveau** en pleine expansion.

La phrase ci-dessus comprend trois mots dont la syllabe finale contient **[o]**.

1. Le phonème [o] en finale absolue

Plusieurs graphies avec la lettre <-o-> sont possibles :

Graphie <-o>	Graphie <-os>	Graphie <-ot>	Graphie <-ôt>
un numéro	un dos	un mot	un dépôt
un scénario	un héros		un impôt
un studio	un propos		
un vélo	un repos		bientôt
			tôt
une photo	gros		
une radio			
une vidéo			

Plusieurs graphies avec <-au-> et <-eau> sont possibles :

Graphie <-au>	Graphie <-aud>	Graphie <-aut>	Graphie <-aux>	Graphie <-eau>
au	chaud	un défaut	un taux	un bateau
				un bureau
		haut	faux	un château
				un morceau
				un niveau
				un oiseau
				un plateau
				un réseau
				un tableau
				une eau
				une peau
				beau
				nouveau

2. Le phonème [o] suivi d'une consonne

[o] + [f]	[o] + [ʃ]	[o] + [l]		[o] + [n]	
Graphie <-auf>	Graphie <-auche>	Graphie <-all>	Graphie <-ôle>	Graphie <-aune>	Graphie <-one>
sauf	gauche	le football	un contrôle un rôle	jaune	une zone

[o] + [s]	[o] + [t]		[o] + [z]	
Graphie <-ausse>	Graphie <-aute>	Graphie <-ôte>	Graphie <-ause>	Graphie <-ose>
une hausse	une faute	une côte	une cause	une chose

3. Le phonème [o] suivi de plusieurs consonnes

[otʀ]	[ovʀ]
autre	pauvre

Exercice 1 : Trouvez le mot mal orthographié dans les listes suivantes et corrigez-le.

1. chaud, haut, taux, fau _____

2. beau, morceau, propeau, tableau_____

3. gros, dos, dépos, repos_____

4. radio, studio, vélo, héro _____

5. tôt, impôt, plutôt, môt _____

Exercice 2 : Trouvez le mot mal orthographié dans les listes suivantes et corrigez-le.

1. cause, chause, faute, gauche _____

2. côte, contrôle, rôle, jône_____

Exercice 3 : Ecrivez les mots dont vous avez la transcription en API.

1. [zon] _____

2. [ʒon] _____

3. [nymero] _____

4. [wazo] _____

5. [fo] _____

6. [os] _____

7. [ʃoz] _____

8. [ʃo] _____

9. [o] _____

10. [ʀezo] _____

26.   Le phonème [ɔ] en syllabe finale

> Mercredi soir, les parties au conflit sont parvenues à un **accord** sur la protection humanitaire des quelque 1,2 million de **personnes** déplacées du Darfour et se sont engagées à garantir un accès libre pour les travailleurs humanitaires qui pourront circuler sans **escorte**.

La phrase ci-dessus comprend trois mots dont la syllabe finale contient [ɔ].

1.   Le phonème [ɔ] suivi d'une consonne

[ɔ] + [k]

Graphie <-oc>	Graphie <-ock>	Graphie <-oque>
un choc	un rock	une époque

[ɔ] + [d]

Graphie <-ode>
un code
un épisode
une méthode
une période
un / une mode

[ɔ] + [f]

Graphie <-ophe>
une catastrophe

[ɔ] + [g]

Graphie <-ogue>
un dialogue
une drogue

[ɔ] + [ʃ]

Graphie <-oche>
une poche
proche

[ɔ] + [l]

Graphie <-ol>	Graphie <-ole>
un vol	un symbole
un sol	
	une école
espagnol	une parole
	agricole

[ɔ] + [m]

Graphie <-omme>	Graphie <-um>
un homme	un album
une somme	maximum
	minimum
comme	

[ɔ] + [n]

Graphie <-omne>	Graphie <-one>	Graphie <-onne>
un automne	un téléphone	une personne
		une tonne
	francophone	

[ɔ] + [ʀ]

Graphie <-or>	Graphie <-ord>	Graphie <-ore>	Graphie <-orps >	Graphie <-ors>	Graphie <-ort >	
un décor	un abord	un score	un corps	hors	un aéroport	un transport
un or	un accord				un effort	
un trésor	un bord				un port	une mort
	le nord				un rapport	
	un record				un sort	fort
					un sport	mort

[ɔ] + [t]

Graphie <-ote>
un pilote
un vote

2. Le phonème [ɔ] suivi de plusieurs consonnes

[ɔb] + autre	[ɔp] + autre	[ɔʀ] + autre				[ɔs] + autre	[ɔt] + autre
octobre	propre	un ordre	une forme	une force	une porte	un poste	notre
			une norme		une sorte		votre
			une réforme	lorsque			
					forte		
			énorme		morte		

Exercice 1 : Trouvez le mot mal orthographié dans les listes suivantes et corrigez-le.

1. vol, sol, espagnol, parol _____

2. octobre, chock, rock, poche _____

3. abord, bord, record, efford_____

4. mort, rapport, hort, port_____

5. maximum, minimum, summe, album_____

Exercice 2 : Ecrivez les mots dont vous avez la transcription en API.

1. [metɔd] _____

2. [katastʀɔf] _____

3. [kɔʀ] _____

4. [fʀɑ̃kɔfɔn] _____

5. [tʀɑ̃spɔʀ] _____

6. [ɔʀ] _____

7. [tʀezɔʀ] _____

8. [sɛ̃bɔl] _____

9. [aeʀɔpɔʀ] _____

10. [tɔn] _____

a
a
ɑ̃
b
k
d
ø
œ
œ̃
e
ɛ
ɛ̃
f
g
i
j
ʒ
ʃ
l
m
n
ɲ
ŋ
o
ɔ
ɔ̃
p
ʀ
s
t
y
ɥ
u
v
w
z

27. Le phonème [ɔ̃] en syllabe finale

> Cette **mission** doit notamment préparer l'envoi d'une unité d'**intervention** de la sécurité civile à Colombo.

La phrase ci-dessus comprend deux mots dont la syllabe finale contient [ɔ̃].

1. Le phonème [ɔ̃] en finale absolue

Pour la syllabe finale [ɔ̃], plusieurs graphies sont possibles :

Graphie <-on>	Graphie <-ond>	Graphie <-ong>	Graphie <-ont>	Graphie <-om>
un ballon	un fond	long	un front	un nom
un garçon			un pont	
un horizon	profond			
un patron	second		dont	
un salon				
une chanson				
une façon				
une leçon				
une liaison				
une maison				
une prison				
une raison				
une saison				
bon				
mon				
non				
on				
selon				
sinon				
son				
ton				

Pour la syllabe finale [sjɔ̃], plusieurs graphies sont possibles :

Graphie <-sion>	Graphie <-ssion>	Graphie <-tion>		
une dimension	une commission	une accusation	une édition	une opposition
une tension	une démission	une action	une éducation	une option
une version	une discussion	une administration	une élection	une organisation
	une émission	une allocation	une émotion	une participation
	une expression	une ambition	une évolution	une population
	une impression	une animation	une exception	une position
	une mission	une application	une explication	une préparation
	une passion	une association	une exploitation	une prestation
	une pression	une attention	une exportation	une prévention
	une profession	une augmentation	une exposition	une production
	une progression	une circulation	une fédération	une promotion
		une collaboration	une fonction	une proposition
		une collection	une fondation	une protection
		une communication	une formation	une publication
		une compétition	une génération	une qualification
		une condition	une illustration	une réaction
		une consommation	une information	une réalisation
		une constitution	une installation	une réduction
		une construction	une institution	une relation
		une consultation	une instruction	une rénovation
		une convention	une intégration	une représentation
		une conviction	une intention	une réputation
		une coopération	une interprétation	une révolution
		une création	une intervention	une sanction
		une déclaration	une libération	une section
		une délégation	une manifestation	une sélection
		une direction	une modification	une situation
		une disparition	une nation	une solution
		une disposition	une négociation	une station
		une distribution	une obligation	une tradition
		une documentation	une opération	une utilisation

Pour les autres syllabes finales qui contiennent [jɔ̃], plusieurs graphies sont possibles :

[ksjɔ̃] Graphie <-xion>	[jɔ̃] Graphie <-ion>	[tjɔ̃] Graphie <-tion>	[zjɔ̃] Graphie <-sion>
une réflexion	un avion	une gestion	une conclusion
	un champion	une question	une décision
	un million		une diffusion
			une division
	une opinion		une exclusion
	une région		une fusion
	une réunion		une occasion
	une union		une précision
			une prévision
			une télévision
			une vision

2. Le phonème [ɔ̃] suivi d'une consonne

[ɔ̃] + [k]	[ɔ̃] + [d]	[ɔ̃] + [s]	[ɔ̃] + [t]	
Graphie <-onc>	Graphie <-onde>	Graphie <-onse>	Graphie <-ompte>	Graphie <-onte>
donc	un monde	une réponse	un compte	un conte
	une seconde			

3. Le phonème [ɔ̃] suivi de plusieurs consonnes

[ɔ̃bʀ]	[ɔ̃tʀ]
un nombre	contre
une ombre	
sombre	

Exercice 1

1. action, collection, discution, question _____

2. construction, nation, pretion, intention _____

3. commission, expression, proposission_____

4. passion, mission, créassion, tension_____

5. dimension, version, excepsion, exclusion _____

Exercice 2

1. façon, maison, raison, secon _____

2. fond, profond, lond, dont_____

3. contre, nombre, sonbre, ombre_____

Exercice 3 : Ecrivez les mots dont vous avez la transcription en API.

1. [pɔ̃] _____   6. [ləsɔ̃] _____

2. [lɔ̃] _____   7. [səgɔ̃] _____

3. [ɛ̃stitysjɔ̃] _____   8. [asɔsjasjɔ̃] _____

4. [pʀɔfɛsjɔ̃] _____   9. [ʀeflɛksjɔ̃] _____

5. [sɛksjɔ̃] _____   10. [miljɔ̃] _____

a
ɑ
ɑ̃
b
k
d
ø
œ
œ̃
e
ɛ
ɛ̃
f
g
i
j
ʒ
ʃ
l
m
n
ɲ
ŋ
o
ɔ
ɔ̃
p
ʀ
s
t
y
ɥ
u
v
w
z

28. Le phonème [p]

> « Il y a même des gens qu'on ne connaît **absolument** pas et qui **appellent parce** qu'ils veulent nous féliciter », **rapporte** Mickey.

La phrase ci-dessus contient quatre mots présentant le phonème **[p]**.

Trois graphies sont possibles :

Graphie <-p->		Graphie <-pp->	Graphie <-b-> + consonne sourde
apercevoir	priver	un appui	observer
comporter	proposer		obtenir
couper	prouver	apparaître	substituer
dépendre	remplir	appartenir	
déposer	remporter	appeler	absent
empêcher	répéter	apporter	
employer	répondre	apprendre	absolument
emporter	reprendre	approcher	
entreprendre	respecter	approuver	
espérer	séparer	appuyer	
importer		développer	
inspirer		échapper	
opérer		frapper	
parler		opposer	
partir		rappeler	
payer		rapporter	
porter		supporter	
préparer		supprimer	

Exercice 1 : Trouvez le mot mal orthographié dans les listes suivantes et corrigez-le.

1. empêcher, espérer, échaper, emporter _____

2. parler, porter, raporter, priver _____

3. apparaître, appeler, propposer, opposer _____

4. appuyer, prépparer, échapper, supprimer _____

5. obtenir, substituer, resbecter, absolument _____

Exercice 2 : Ecrivez les mots dont vous avez la transcription en API.

1. [vupɛjje] _____

2. [tyʀepɛt] _____

3. [ʒapɛl] _____

4. [ɛlʀaplɛ] _____

5. [nusypstituʀɔ̃] _____

6. [ilzapaʀɛs] _____

7. [apsɑ̃] _____

8. [ildevlɔpʀɔ̃] _____

9. [vuzɔptəne] _____

10. [ʒespeʀɛ] _____

a
ɑ
ɑ̃
b
k
d
ø
œ
œ̃
e
ɛ
ɛ̃
f
g
i
j
ʒ
ʃ
l
m
n
ɲ
ŋ
o
ɔ
ɔ̃
p
ʀ
s
t
y
ɥ
u
v
w
z

29. Le phonème [ʀ]

Un **bref** moment de silence s'ensuit, les **spectateurs** chuchotent, s'**interrogent** du **regard**, puis, les comédiens **apparaissent**.

La phrase ci-dessus contient cinq mots présentant le phonème [ʀ].

Trois graphies sont possibles :

Graphie <-r->		Graphie <-rr->	Graphie <-rh->
chercher	mériter	arrêter	une rhétorique
courir	mourir	arriver	
créer	ouvrir	correspondre	
dire	paraître	interroger	
diriger	renvoyer	nourrir	
disparaître	rêver		
durer	rire		
écrire	sourire		
être	tirer		
ignorer	vivre		
inscrire			

Exercice 1 : Trouvez le mot mal orthographié dans les listes suivantes et corrigez-le.

1. nourrir, courrir, correspondre, interroger _____

2. créer, diriger, ariver, mériter _____

3. mourir, sourir, nourrir, ouvrir_____

Exercice 2 : Ecrivez les mots dont vous avez la transcription en API.

1. [ildiʀɔ̃] _____

2. [nuzɛ̃teʀɔʒɔ̃] _____

3. [ɛlsuʀijɛ] _____

4. [ʀetɔʀik] _____

5. [ʒətiʀʀe] _____

6. [tynuʀiʀa] _____

7. [aʀɛt] _____

8. [ɛldiʀiʒe] _____

9. [nukuʀʀɔ̃] _____

10. [ilmuʀɛ] _____

30. Le phonème [s]

> **Principal** thème de l'exposition : la **façon** dont les outils **issus** des nouvelles technologies nous traquent, nous **influencent** et nous manipulent.

La phrase ci-dessus contient quatre mots présentant le phonème **[s]**.

Cinq graphies sont possibles :

Graphie <-c->	Graphie <-ç->	Graphie <-s->	Graphie <-sc->	Graphie <-ss->
apercevoir	un commerçant	conseiller	un faisceau	adresser
avancer	un garçon	conserver		assister
concerner		considérer	descendre	assumer
décider	une façon	consister	susciter	assurer
déplacer	une leçon	construire		baisser
différencier		insister		blesser
énoncer	français	penser		cesser
forcer		poursuivre		classer
inciter		sauver		dépasser
influencer		servir		dessiner
nuancer		signer		dresser
participer		sortir		essayer
précéder		suivre		intéresser
préciser		traverser		laisser
remplacer		verser		passer
solliciter				posséder
spécialiser				pousser
tracer				progresser
				rassembler
				rassurer
				ressembler
				réussir

Exercice 1 : Trouvez le mot mal orthographié dans les listes suivantes et corrigez-le.

1. conseiller, conserner, considérer, construire _____

2. adresser, assister, aperssevoir, assurer _____

3. préciser, décider, blecer, énoncer_____

4. insister, consister, inciter, suciter,_____

5. ressembler, posséder, dessendre, intéresser _____

Exercice 2 : Ecrivez les mots dont vous avez la transcription en API.

1. [ʒəkɔ̃sidɛʀ] _____

2. [nupuʀsɥivɔ̃] _____

3. [tytɛ̃teʀɛsɛ] _____

4. [ɛlsysitʀɔ̃] _____

5. [nuzɛ̃flyɑ̃sɔ̃] _____

6. [iltʀasɛ] _____

7. [sɛse] _____

8. [vuzɛsɛʀe] _____

9. [ilzapɛʀsəvɛ] _____

10. [fɛso] _____

a
ɑ
ã
b
k
d
ø
œ
œ̃
e
ɛ
ɛ̃
f
g
i
j
ʒ
ʃ
l
m
n
ɲ
ŋ
o
ɔ
ɔ̃
p
ʀ
s
t
y
ɥ
u
v
w
z

31. Le phonème [t]

Cette semaine Halloween est le **thème** des vacances de la **Toussaint**.

La phrase ci-dessus contient trois mots présentant le phonème **[t]**.

Trois graphies sont possibles :

Graphie <-t->		Graphie <-tt->	Graphie <-th->
acheter	monter	une attente	un enthousiasme
bâtir	noter	une lettre	un mythe
chanter	prétendre		un rythme
contenter	prêter	admettre	un théâtre
contester	racheter	attacher	un thème
coûter	rentrer	atteindre	
dater	rester	attendre	une bibliothèque
déterminer	retirer	attirer	une hypothèse
discuter	retourner	attribuer	une méthode
disputer	retrouver	émettre	une théorie
entendre	sentir	lutter	
entourer	situer	mettre	authentique
entrer	souhaiter	permettre	catholique
étendre	tenter	promettre	éthique
éviter	toucher	regretter	mathématique
fêter	tourner	remettre	
intégrer	traiter	soumettre	
interpréter	travailler	transmettre	
inventer	trouver		
investir	tuer		
inviter	voter		
jeter			

Exercice 1 : Trouvez le mot mal orthographié dans les listes suivantes et corrigez-le.

1. voter, jeter, dater, luter _____

2. atendre, entendre, étendre, prétendre_____

3. atteindre, promettre, pretter, permettre_____

4. bibliothèque, catholique, lethre, rythme _____

5. mettre, soumettre, regretter, traitter _____

Exercice 2 : Ecrivez les mots dont vous avez la transcription en API.

1. [nulytɔ̃] _____

2. [ilkutɛ] _____

3. [ilzatʀibyʀɔ̃] _____

4. [ʒəbatisɛ] _____

5. [otɑ̃tik] _____

6. [tyatɑ̃dʀa] _____

7. [nuzemɛtʀɔ̃] _____

8. [ɛlty] _____

9. [ilpɛʀmɛtʀɔ̃] _____

10. [teɔʀi] _____

a
ɑ
ɑ̃
b
k
d
ø
œ
œ̃
e
ɛ
ɛ̃
f
g
i
j
ʒ
ʃ
l
m
n
ɲ
ŋ
o
ɔ
ɔ̃
p
ʀ
s
t
y
ɥ
u
v
w
z

32. Le phonème [y] en syllabe finale

> Placé en garde à **vue**, ce travailleur intérimaire de 54 ans, jusqu'alors **inconnu** de la police, reconnaît qu'il a acquis des armes et des munitions et qu'il les revend car il a besoin d'argent.

La phrase ci-dessus comprend deux mots dont la syllabe finale contient **[y]**.

1. Le phonème [y] en finale absolue

Pour la syllabe finale [y], plusieurs graphies sont possibles :

Graphie <-u>	Graphie <-ue>	Graphie <-us>	Graphie <-ut>
un individu	une avenue	un jus	un début
	une rue	un refus	
absolu	une vue		**Attention :**
inconnu			un but [by] ou [byt]
issu			
tu			
du			

2. Le phonème [y] suivi d'une consonne

[y] + [d]		[y] + [l]		[y] + [m]	[y] + [n]
Graphie <-ud>	Graphie <-ude>	Graphie <-ul>	Graphie <-ule>	Graphie <-ume>	Graphie <-une>
le sud	une attitude	nul	un véhicule	un volume	une commune
	une étude				
	une habitude		une cellule		
	une inquiétude		une formule		

[y] + [ʀ]

Graphie <-ur>	Graphie <-ure>			Graphie <-ûr>
un mur	une agriculture	une mesure	dure	mûr
	une aventure	une nature	future	sûr
dur	une culture	une peinture	pure	
futur	une écriture	une procédure		
pur	une fermeture	une signature		
	une lecture	une structure		
sur	une littérature	une voiture		

[y] + [s]		[y] + [t]		
Graphie <-us>	Graphie <-usse>	Graphie <-ut>	Graphie <-ute>	Graphie <-utte>
un processus	russe	brut	une chute une minute brute	une lutte

3. Le phonème [y] suivi de plusieurs consonnes

[yl] + autre	[ys] + autre
adulte	jusque juste

Exercice 1 : Trouvez le mot mal orthographié dans les listes suivantes et corrigez-le.

1. rue, avenue, vue, individue _____

2. refus, jus, débus, issus_____

3. but, nul, dur, cellul_____

4. structure, fermeture, sure, signature_____

5. sude, étude, habitude, inquiétude _____

Exercice 2 : Ecrivez les mots dont vous avez la transcription en API.

1. [lyt] _____

2. [ʒyst] _____

3. [nyl] _____

4. [kɔmyn] _____

5. [ʃyt] _____

6. [byt] _____

7. [ʒysk] _____

8. [isy] _____

9. [liteʀatyʀ] _____

10. [atityd] _____

33. Le phonème [u] en syllabe finale

> Le candidat devrait se retirer de la **course**, estimant le **coût** trop élevé.

La phrase ci-dessus comprend deux mots dont la syllabe finale contient **[u]**.

1. Le phonème [u] en finale absolue

Pour la syllabe finale [u], plusieurs graphies sont possibles :

Graphie <-ou>	Graphie <-où >	Graphie <-oup >	Graphie <-ous >	Graphie <-out>	Graphie <-oût>	Graphie <-août >
un cou	où	un coup	un rendez-vous	un bout	un coût	**Attention :**
					un goût	août
fou			nous	tout		[u] ou [ut]
			vous			
ou				surtout		
			sous			

2. Le phonème [u] suivi d'une consonne

[u] + [ʒ]	[u] + [l]	[u] + [p]	[u] + [ʀ]			
Graphie <-ouge>	Graphie <-oule>	Graphie <-oupe>	Graphie <-our>	Graphie <-ourd>	Graphie <-ours>	Graphie <-ourt>
rouge	une foule	un groupe	un amour	lourd	un concours	court
			un carrefour		un cours	
		une troupe	un humour		un discours	
			un jour		un parcours	
			un retour		un recours	
			un séjour			
			une cour			
			un/une tour			
			autour			
			pour			

a
ɑ
ã
b
k
d
ø
œ
œ̃
e
ɛ
ɛ̃
f
g
i
j
ʒ
ʃ
l
m
n
ɲ
ŋ
o
ɔ
ɔ̃
p
ʀ
s
t
y
ɥ
u
v
w
z

[u] + [t]	[u] + [z]	
Graphie <-oute>	Graphie <-ouse>	Graphie <-ouze>
un doute	une épouse	douze
une route		

3. Le phonème [u] suivi de plusieurs consonnes

[ubl]	[upl]	[uʀs]		[utʀ]
double	un couple	une ressource	une bourse	outre
		une source	une course	

Exercice 1 : Trouvez le mot mal orthographié dans les listes suivantes et corrigez-le.

1. bout, surtout, vout, tout _____

2. coût, coup, août, gout _____

3. jour, lourd, concours, retourt_____

4. amour, court, parcour, discours_____

5. course, bourse, sourse, ressource _____

Exercice 2 : Ecrivez les mots dont vous avez la transcription en API.

1. [ʀɑ̃devu] _____

2. [kaʀfuʀ] _____

3. [fu] _____

4. [dut] _____

5. [ʀəkuʀ] _____

6. [bu] _____

7. [ut] _____

8. [ku] _____

9. [duz] _____

10. [kɔ̃kuʀ] _____

34. Le phonème [w] en syllabe finale

> Il cherchera pendant six **mois** à **rejoindre** des résistants.

La phrase ci-dessus comprend deux mots dont la syllabe finale contient **[w]**.

1. Les syllabes finales [wɛ̃] et [wa]

Dans la syllabe finale **[wɛ̃]**, trois graphies sont possibles :

Graphie <-oin>	Graphie <-oing>	Graphie <-oint>
un besoin	un poing	un adjoint
un coin		un point
un soin		
un témoin		

Dans la syllabe finale **[wa]**, plusieurs graphies sont possibles :

Graphie <-oi>	Graphie <-oid>	Graphie <-oids>	Graphie <-oie>	Graphie <-ois>	Graphie <-oit>	Graphie <-oix>
un emploi	froid	un poids	un foie	un mois	un droit	un choix
un envoi					un endroit	
un roi			une voie	une fois		une voix
une foi				chinois		
une loi						
quoi				trois		
soi						
pourquoi						

2. Les syllabes finales [wɛ̃] et [wa] + consonne(s)

[wɛ̃] + [dʀ]

Graphie <-oindre>

rejoindre

moindre

[wa] + [l]	[wa] + [n]	[wa] + [ʀ]		[wa] + [t]	
Graphie <-oile>	Graphie <-oine>	Graphie <-oir>	Graphie <-oire>	Graphie <-oite>	Graphie <-oîte>
une toile	un patrimoine	un espoir	un laboratoire	droite	une boîte
une étoile		un soir	un territoire		
		noir	une histoire		
			une mémoire		
		avoir	une victoire		
		concevoir			
		devoir	boire		
		falloir	croire		
		percevoir			
		pouvoir	voire		
		prévoir			
		recevoir			
		revoir			
		savoir			
		valoir			
		voir			
		vouloir			

Exercice 1 : Trouvez le mot mal orthographié dans les listes suivantes et corrigez-le.

1. pourquoi, emploi, froi, roi _____

2. fois, mois, drois, trois_____

3. témoin, poin, coin, soin_____

4. valoire, boire, croire, voire_____

5. noir, soir, espoir, victoir _____

Exercice 2 : Ecrivez les mots dont vous avez la transcription en API.

1. [vwa] _____   6. [memwaʀ] _____

2. [bwat] _____   7. [etwal] _____

3. [bəzwɛ̃] _____   8. [ʃwa] _____

4. [adʒwɛ̃] _____   9. [pwa] _____

5. [ɑ̃vwa] _____   10. [fwa] _____

35. Le phonème [z]

> Huit victoires en **onze** courses, deux **deuxièmes** places et une **troisième**, Michael
> Schumacher a rapidement réglé le championnat du monde.

La phrase ci-dessus contient trois mots présentant le phonème **[z]**.

Plusieurs graphies sont possibles :

Graphie <-s->		Graphie <-z->	Graphie <-zz->	Graphie <-x->
analyser	peser	un gaz	un jazz	deuxième
autoriser	poser			dixième
baser	présenter	onze		
choisir	présider			
composer	reposer			
désigner	représenter			
disposer	réserver			
envisager	résister			
favoriser	résoudre			
hésiter	résumer			
imposer	saisir			
mesurer	viser			
oser	visiter			

Exercice 1 : Trouvez le mot mal orthographié dans les listes suivantes et corrigez-le.

1. favoriser, jazz, analyzer, onze _____

2. choisir, oser, saisire, viser _____

3. présenter, réserver, réposer, résister_____

Exercice 2 : Ecrivez les mots dont vous avez la transcription en API.

1. [ʒəʃwazisɛ] _____

2. [typʀezidʀa] _____

3. [ilezit] _____

4. [nuzanalizɔ̃] _____

5. [vudispozʀe] _____

6. [ilsɛzis] _____

7. [gaz] _____

8. [ʒəbaz] _____

9. [tyvizɛ] _____

10. [ɛlʀezistəʀa] _____

III

Corrigés des exercices

1.   Le pluriel des noms

Exercice 1

1. Il est environ 20 heures, le <u>repas</u> vient de se terminer et les membres de la famille débarrassent la table.
2. On voyait un jardin en <u>croix</u>, un <u>puits</u> au <u>milieu</u>, délimité en quatre parties.
3. Partout, la vie a repris son <u>cours</u>.
4. Il a travaillé avec les moines, creusé des rigoles et cimenté des murs, vêtu d'un bleu de <u>travail</u>.
5. Hier, c'était <u>gâteau</u> de foie de volaille avec <u>coulis</u> de tomate au basilic.
6. La jeune femme, qui sortait du bal des pompiers, a été admise au service de réanimation de l'<u>hôpital</u> de Roanne après une immersion accidentelle dans le <u>canal</u>.
7. Pour une raison indéterminée, le <u>plateau</u> s'est mis en mouvement, arrachant le portail métallique de l'entreprise, puis traversant la route pour finir sa course dans un mur en béton protégeant des installations de <u>Gaz</u> de France.
8. Ils sont disponibles en dix-huit <u>coloris</u> et portent, gravé dans l'<u>émail</u> ou l'<u>inox</u>, le nom de leur propriétaire.
9. A la sortie, il faudra penser au pourboire.
10. Elle a reçu une volée de pierres, notamment un gros <u>caillou</u> à la tête.

Exercice 2

1. Assise dans son fauteuil, un journal déplié sur ses **genoux**, elle sourit.
2. [phrase correcte]
3. Les **pneus** traditionnels perdent beaucoup de leurs qualités à basse température.
4. Pour les enfants, chez Disney, on trouvera des **pyjamas** à 13 francs, et des chemises à 4 francs.
5. Elle a refusé toute forme d'hygiène et s'est plainte de violents **maux** de ventre.
6. Une formule d'abonnement pour les trois **récitals** est également proposée.
7. Il ne suffit pas de renvoyer un dictateur pour créer des **route**s, des hôpitaux et des **écoles**.
8. La lutte anti-spam entraîne un accroissement considérable des **en-têtes** dans les messages.
9. Durant cette dernière décennie, les **haut-parleurs** ont considérablement évolué.
10. Les ordinateurs portables sont exclus depuis peu des **wagons-restaurants** de Pologne.

Exercice 3

1. Le logement de Suzanne fait partie des cinq appartements *des rez-de-chaussée* les plus détruits.
2. *Ces incendies* **furent** sans conséquence car **ils furent** très vite maîtrisés grâce à certains riverains armés *de seaux d'eau.*
3. Une torche à la main, il transmet *des signaux* au barreur.
4. *Les résultats obtenus* **sont** au-dessus *des seuils réglementaires.*
5. C'est lui qui a fait *les choix décisifs* et a fait accepter *les compromis.*
6. *Les jeux* apporte**nt** aux enfants des chances supplémentaires de se développer et de s'épanouir, à condition que les parents prennent le temps de faire *les bons choix.*
7. Max Ernst, trois cents ans plus tard, découvre *des sphinx* dans l'empreinte d'une éponge, *des oiseaux* dans *les coraux, des dragons* dans la mousse.
8. Le montage *des porte-bagages* sur le vélo lui-même peut être délicat.
9. Dans la symbolique occidentale, *les arcs-en-ciel* **sont** souvent associés à la joie et la gaieté ou au renouvellement.
10. Un ennemi pourrait-il couler *des porte-avions américains* ?

2.   Le pluriel des adjectifs

Exercice 1

1. Il va nous falloir être <u>attractif</u>, <u>innovant</u>, proposer un mode de vie <u>nouveau</u>, profondément <u>humain</u>.
2. Au moment de l'accident, il circulait sur un vélo <u>bleu</u>.
3. "Je suis <u>fou</u>, je dois mourir", avait-il affirmé.
4. Il employait avant du matériel <u>noble</u> et <u>coûteux</u> : il préfère maintenant le plus <u>trivial</u> et le moins <u>cher</u>.

5. Manteau de cosaque en brocart <u>or</u> et <u>noir</u>, cardigan <u>brodé</u> de piécettes <u>bronze</u>, blouse <u>violet cardinal</u> et jupe en taffetas, imprimés <u>enrichis</u> d'effets <u>métalliques</u> rendent hommage à une culture des étoffes <u>héritée</u> des drapiers <u>florentins</u>.
6. Le <u>grand</u> <u>beau</u> temps qui n'en finit pas favorise les activités <u>extérieures</u>.
7. Les tissus d'ameublement marient les étoffes <u>lourdes</u> aux voiles <u>flous</u> et <u>légers</u> dans un effet <u>théâtral</u>.
8. Jusqu'à présent, le jugement <u>pénal</u> s'imposait par une autorité <u>extérieure</u>.
9. Le temps du pétrole <u>abondant</u> et <u>bon marché</u> sera très bientôt derrière nous.
10. *Quitter le monde* est le <u>dernier</u> roman <u>doux</u>-<u>amer</u> de Douglas Kennedy.

Exercice 2

1. Au moment de l'accident, il était vêtu de pantalons **marron**, et portait des chaussures **noires** et **rouges**.
2. Ils vivent, comme jadis les nobles **féodaux**, reclus sur ce petit bout de terre.
3. Selon l'origine de la roche, les villages sont jaunes, **orangés** ou gris.
4. Les Etats-Unis ont exprimé leur mécontentement après des commentaires de **hauts** responsables russes.
5. On a été **sérieux**, calmes dans le travail.
6. Ils sont très clairs, tour à tour **glacials** ou pétillants, **sévères** ou chaleureux.
7. Les agneaux **nouveau**-nés viennent au monde avec une fourrure brillante et des boucles très serrées.
8. Un bouquet de fleurs **fraîches** écloses est posé sur sa table.
9. D'autres activités **extrascolaires** seront mises en place comme des sorties, des spectacles, des goûters.
10. On prend plus de temps que les élèves **normaux** pour comprendre.

Exercice 3

1. Elle porte *des souliers,* noir**s** bien entendu, et plat**s**, et particulièrement laid**s**.
2. *Des jeunes femmes incapables* de faire la cuisine **sont** maintenant devenue**s** de vrais cordons bleus**.**
3. *Nous* **sommes** fier**s** et heureux de pouvoir en parler avec *vous*.
4. **Ce sont** justement *ces nouveaux ménages* qui **achètent** *des logements neufs.*
5. *Ils* ne **sont** ni naïf**s** ni idéaliste**s,** *ils* **sont** patients.
6. *Les premiers matchs amicaux* **sont** plutôt prometteur**s**.
7. « Pour moi, *des musiciens* **peuvent** être noir**s**, blanc**s** ou bleus à pois roses, l'essentiel est qu'ils **soient** musiciens**.** »
8. Au quotidien, cet homme porte *de lourds fardeaux.*
9. *Les bulletins* de salaire **sont** établis à partir *des salaires bruts ou nets*.
10. Bien sûr, il faut *des légumes fermes et frais*, bref, pas mou**s** du tout**.**

3. Le féminin des noms

Exercice 1

1. Autant dire qu'à 21 ans, le jeune homme n'est plus un <u>débutant</u>.
2. Mais, à la fin de sa vie, l'autorité du <u>souverain</u> ne suffisait plus à contenir la rapacité de ses serviteurs les plus proches.
3. C'est un ancien <u>espion</u> devenu banquier dans les années 1990.
4. Ses <u>amis</u> tiendront également la plume, sous la tutelle du rédacteur responsable du magazine.
5. Ils préparent des brevets de matelot de pêche, de <u>mécanicien</u> ou de marin de commerce.
6. Mon grand-père et mon père étaient aussi des <u>mineurs</u> de charbon.
7. Fils de l'architecte Paul Chemetov (auteur du ministère des finances de Bercy), Alexandre a été élevé par ses grands-parents.
8. Grand séducteur, à l'image de son créateur, qui fut un coureur de jupons sportif et mondain, Arsène Lupin semble fasciné par les nobles.
9. Son <u>chien</u>, c'était un peu comme son compagnon.
10. Le chanteur aux talents multiples (<u>comédien</u>, danseur, compositeur) multiplie les succès.

Exercice 2

1. Cette œuvre, « Une jolie **criminelle** », mêle et entremêle meurtre et amour.
2. Vendredi, à la radio, une **auditrice** hurle : « Ce qui se passe, pour moi, c'est un génocide. »

3. Chaque été, vaches, **brebis** et chevaux partent vers les pâturages.
4. Les premiers mots furent ceux prononcés par sœur Marie-Françoise, **supérieure** du monastère.
5. Le lycée accueillera également une **stagiaire** en espagnol.
6. Je peux vous le dire : cette fille a l'étoffe d'une grande **comédienne**.
7. La jeune **inventrice** avait eu l'idée de créer des bouchons de cosmétiques sur lesquels on peut poser les flacons.
8. La voix de la **chanteuse** semble jaillir de ce point.
9. La sublime **rousse** est cependant la première à illustrer une campagne publicitaire internationale pour le parfum le plus vendu au monde.
10. Dans ce cas, la mineure se fait accompagner par l'adulte de son choix.

Exercice 3

1. *Le fondateur et directeur* du centre refuse le terme d'*éthicien* pour qualifier sa nouvelle fonction.
   La fondatrice et directrice / éthicienne

2. *L'autre adolescent* continue de se décrire comme « *spectateur* » du drame, selon *son avocat*.
   L'autre adolescente / spectatrice / son avocate

3. *L'administrateur* de l'hôpital a indiqué qu'à l'exception d'*un infirmier suédois*, il n'y avait *ni patient ni employé étrangers* dans l'établissement.
   L'administratrice / une infirmière suédoise / ni patiente ni employée étrangères

4. Dimanche, *les deux garçonnets* de huit et trois ans se rendent chez *leur grand-père*, accompagnés de *leur oncle* et de *leur père*.
   les deux fillettes / leur grand-mère / accompagnées de leur tante / leur mère

5. Oui, *ce médecin* est *un menteur*.
   cette femme médecin (ce médecin) / une menteuse

6. *Automobiliste molesté, pharmacien braqué, vendeur menacé, grand-père séquestré* dans sa voiture avec *son petit-fils*, voilà quelques-uns des faits reprochés à *ces criminels*.
   Automobiliste molestée / pharmacienne braquée / vendeuse menacée / grand-mère séquestrée / sa petite-fille / ces criminelles

7. Grâce à cela, *ce jeune cavalier prometteur* peut organiser sa saison avec *le même étalon*.
   cette jeune cavalière prometteuse / la même jument

8. Une émission de radio locale a invité *un jeune sportif*. Aujourd'hui, *l'animateur* radio l'attend pour une interview et un dialogue avec *les auditeurs*.
   une jeune sportive / l'animatrice / les auditrices

9. Bref, il joue *l'idiot* et prétend qu'il faut être très intelligent pour faire croire que l'on n'est pas malin.
   elle joue l'idiote / très intelligente / maligne

10. J'ai trouvé ça extraordinaire : le courage de *mon voisin*, celui de *mon neveu*, le dévouement *des pompiers*.
    ma voisine / ma nièce / des femmes pompiers

4. Le féminin des adjectifs

Exercice 1

1. Les deux <u>grands</u> partis <u>nationaux</u>, le Parti |socialiste| et le Parti |populaire|, appellent au changement.
2. Je suis <u>fier</u> et <u>heureux</u> de pouvoir en parler avec vous.
3. Bouquet <u>final</u> de l'action |pédagogique| : la rencontre avec un écrivain.
4. <u>Pratiqué</u> par des professionnels, le don de sang est totalement <u>sécurisé</u>, grâce à un matériel |stérile| et à usage |unique|.
5. Le regard est <u>serein</u>, et l'œil <u>attentif</u>.

6. <u>Arrivé</u> dimanche soir dans la capitale ⬚belge⬚, le président <u>américain</u> dînera lundi avec son homologue <u>français</u>.

7. Entre le <u>blond</u> et le <u>brun</u>, le <u>gentil</u> et le <u>méchant</u>, le <u>veinard</u> et le <u>malchanceux</u>, tout est <u>bon</u> pour exacerber les différences.

8. « Nous sommes le ⬚deuxième⬚ plus <u>gros</u> employeur dans la région », indique un porte-parole.

9. Tous ont bénéficié d'une formation à la fois ⬚théorique⬚ et ⬚pratique⬚ au sein de l'établissement, tout en conduisant un projet <u>concret</u> dans leur entreprise d'accueil.

10. Derrière lui flotte le drapeau <u>vert</u> et <u>bleu</u> <u>frappé</u> d'un pont et d'une roue, emblème de la ville.

Exercice 2

1. L'Occident repartira dans sa course **folle** à la croissance.
2. Plusieurs professeurs nouvellement nommés sont arrivés et vont enrichir la vie **pédagogique** de l'établissement de leur expérience **antérieure**.
3. Voilà une bonne soupe complétée de crème **fraîche épaisse**.
4. Ces textes empreints d'une vérité touchante ont la grâce **naïve** des cœurs simples.
5. Une confiserie **artisanale** présentera des bonbons à la violette, au coquelicot et autres parfums délicats.
6. Le match prenait alors une autre dimension, plus **passionnelle.**
7. L'une de mes grand-mères était **fermière** et il y avait tous les jours des œufs frais sur la table.
8. La règle **plate** frottée sur une peau de mouton attire les morceaux de papier.
9. Les élus locaux ne sont pas là pour appliquer une idéologie **partisane**, mais pour être au service de tous.
10. Ni snob ni **mondaine**, elle n'a pas le profil convenu dans les milieux de la mode et du business.

Exercice 3

1. La monarchie **saoudienne** est restée très **discrète** dans la campagne **électorale**.
2. Il faut viser à promouvoir une évolution des sociétés **humaines** qui les rendent totalement **conscientes** de leurs responsabilités **planétaires**.
3. Prendre de **bonnes** résolutions et s'y tenir comme au début d'une aube **nouvelle**, d'une année **prometteuse**.
4. Ils y ont été entendus comme témoins, de manière **brève** et **courtoise**, par un agent de la police **judiciaire**.
5. Pour combattre la délinquance, il y a une action **claire** et **nette** à mener contre la violence, qui est l'affaire de l'Etat.
6. Ils étaient impliqués dans un trafic à **grande** échelle de **fausses** cartes d'identité et de passeports.
7. La **vieille** dame est **allongée**, **immobile** sur son lit.
8. Ce qui prime, c'est donc la vie **associative** mêlée à l'activité **sportive**.
9. L'Europe est décidée à n'être pas seulement un marché, mais le centre d'une culture **rayonnante** et d'une influence **politique inégalée** autour de la planète.
10. Cette **ancienne** zone **maraîchère** de 4 hectares n'est qu'à 10 kilomètres du centre de Paris et à proximité **immédiate** de l'Université Paris-VIII.

5. L'accord de l'adjectif et du nom

Exercice 1

1. <u>Une fête</u> ⬚populaire⬚ (épithète) au son des clarines et à la lueur des flambeaux qui, quand la nuit tombe, guident <u>les</u> ⬚derniers⬚ (épithète) <u>courageux</u>.

2. <u>Cette juriste</u> de 39 ans est devenue ⬚présidente⬚ (attribut du sujet) par intérim.

3. ⬚Perdue⬚ (détaché) au fin fond d'<u>un désert</u> ⬚minéral⬚ (épithète), à 1'000 km de la capitale du Chili, <u>la ville</u> <u>d'El Salvador</u> vit exclusivement du cuivre.

4. ⬚Epuisés⬚ (détaché), <u>ils</u> ont discuté pendant des heures, avant de choisir de suspendre l'accueil et les inscriptions.

5. A l'arrivée, <u>tous les coureurs</u> semblaient particulièrement ⬚heureux⬚ (attribut du sujet) d'avoir participé à <u>cette</u> ⬚première⬚ (épithète) <u>édition</u> même s'ils ont tous admis que <u>cette course</u> était ⬚très exigeante⬚ (attribut du sujet).

6. Nouveau (épithète) revers : mardi 1er (épithète) octobre, le juge les a trouvées insuffisamment motivées (attribut de l'objet) et les a rejetées en bloc.

7. Amaigri (détaché) dans son costume gris clair (épithète), un ruban rouge (épithète) à la boutonnière de son veston, le teint hâlé (épithète), il a dédaigné les chaises qui l'auraient placé juste face à la cour et dos à ses codétenus.

8. Moshe Péri, la quarantaine, a le visage et les poings fermés (attribut de l'objet).

9. Libre (détaché), Maurice Papon s'était donc défendu.

10. Pour ne rien arranger, le voici ligoté (attribut de l'objet) par le vote du comité central.

Exercice 2

1. Les dossiers étaient **devenus lourds** à porter, de plus en plus **encombrants**, ils sont sur le point d'être **réglés**.

2. Sans doute à cause de la chaussée rendue **glissante** par la pluie tombée en fin de nuit, la conductrice a perdu le contrôle de son véhicule.

3. **Satisfaits**, mais plus **mesurés**, les ministres recommandent à la France et aux Etats-Unis de ne plus regarder en arrière ce qui les a divisés.

4. C'est évidemment l'occasion de revoir l'orthographe et la syntaxe **françaises**, explique l'organisateur du concours.

5. Cette vache est assez rustique pour prospérer dans des pâturages relativement **pauvres**, assez féconde pour donner un veau par an pendant des années, assez docile pour faire le bonheur de son éleveur.

6. **Seuls** quelques trains de nuit devraient être **supprimés**.

7. Nous, on est **abattus**, **dépités**, on se sent **impuissants**.

8. Amplement **décolletée** et court **vêtue** : telle est la femme que l'on rencontre, chaque soir ou presque, en se promenant d'une chaîne à l'autre sur la télévision italienne.

Exercice 3

1. **Isolées** sur le plan **diplomatique**, **menacées** à l'intérieur par l'opposition qui a retrouvé une unité **oubliée** depuis longtemps, les autorités espèrent s'en sortir en remplissant les exigences de la communauté **internationale**.

2. Durant cinq **bonnes** heures, tous ont participé à la danse et s'en sont trouvés **ravis**.

3. L'Italie s'est avérée **une des plus ferventes alliées** du président américain George Bush en Europe.

4. A la Bourse de Paris, les investisseurs **étrangers** se sont révélés plus **prudents** que leurs homologues **français**.

5. **Placées** au cœur de la troisième semaine de course, les trois étapes **alpestres** s'annonçaient **redoutables** pour les organismes des cyclistes.

6. Je suis heureux parce que les otages sont rentrés **sains** et **saufs**.

7. La Croix-Rouge a été **mobilisée** la nuit et le jour **suivants** pour distribuer des tests d'alcoolémie.

8. Un costume pour homme – veste et pantalon **noirs** – à 125 euros.

9. Il n'y a pas de quoi rendre **malades** petits enfants, instituteurs et gardiens.

10. Le président et le ministre **invités** ont exposé deux visions totalement **différentes** du rôle de leur parti au sein de la majorité.

6. Le participe présent et l'adjectif verbal

Exercice 1

1. Mercredi, quelques milliers de manifestants militant pour différentes causes sont descendus dans les rues de Londres.

2. Heureusement, je pense que dans cette histoire il est plus négligent que malintentionné.

3. On le conseille dans bien des cas où un effet calmant doux est recherché.

4. Nous nous sommes remis en question en nous demandant si certaines choses n'étaient pas bêtement choquantes.

5. Cela me fait penser à cet enfant qui, malgré la mise en garde de ses parents, continue à se balancer sur sa chaise, vous regardant droit dans les yeux, avec arrogance.

6. Les producteurs violant les règlements feront face à de sévères sanctions.

7. Malgré l'arrestation de deux suspects par les services de sécurité, le ministre de l'Intérieur demeure convaincu de l'existence de réseaux terroristes dormants dans son pays.
8. L'électricité produite par le projet alimentera quinze provinces situées dans le centre, l'est et le sud de la Chine, atténuant le manque d'électricité dans ces régions.
9. Nous adorons ses mélodies qui nous cajolent, ses refrains qu'on retient, son jeu de piano caressant et sa voix pure et sensuelle.
10. Ces derniers ont répliqué en utilisant leurs sprays au poivre, calmant rapidement la situation.

Exercice 2

1. Elle commence par dire: « Parler de soi est **fatigant**. »
2. [phrase correcte]
3. Un strabisme **divergent**, ça n'améliore pas les relations humaines.
4. [phrase correcte]
5. Un **précédent** manuscrit avait été envoyé à Hervé Bazin, l'auteur de *Vipère au poing*.
6. [phrase correcte]
7. Deux autres aspects de ces sondages sont **éclairants**.
8. [phrase correcte]
9. [phrase correcte]
10. Il subsiste cependant la possibilité que cette littérature-là incite les jeunes à découvrir des ouvrages plus rares, plus **exigeants**.

Exercice 3

1. En attendant l'azur, le soleil a percé hier, rendant l'air (ou son absence) encore plus **suffocant**.
2. Depuis quelques jours, les tractations se précisaient, les deux parties **redoublant** d'efforts pour éviter une crise aussi grave qu'au Kenya.
3. « Elle nous a appelés, catastrophée, nous **imaginant** au bord de la faillite », se souvient Rupert, son mari anglais.
4. Ils ont été pris de panique après des rumeurs **voulant** qu'un kamikaze était sur le point de faire exploser sa bombe.
5. La jeune femme a dû attendre une météo **conciliante** pour mettre le cap vers Saint-Malo.
6. Le libéro Pierre-Alexis Lapointe a été égal à lui-même en **excellant** tout au long de la compétition.
7. Un artiste danois, auteur de projets spectaculaires et **provocants**, est en route vers le sommet du Mont-Blanc pour y déverser de la peinture rouge et établir un Etat indépendant, a-t-il déclaré lundi à l'AFP.
8. Des dizaines d'habitations **soi-disant** sinistrées se trouvaient, vérification faite, à des adresses fictives.
9. Par ailleurs, il faudra répondre aux besoins en eau de notre population qui vont **augmentant**.
10. Plus de 10'000 bouteilles sont exposées, **représentant** environ 3'000 vins **différents**.

7. L'accord du verbe

Exercice 1

1. Une douzaine de taxis sont stationnés en file indienne dans l'attente de clients potentiels.
2. Aussi cherchent-ils à renforcer leur base dans l'Archipel.
3. L'immensité des territoires a poussé en 1928 un médecin à créer ce système d'intervention pour secourir les populations éloignées des villes.
4. Ni débat contradictoire, ni face à face n'ont eu lieu entre ces deux principaux candidats.
5. Selon ce document, près de 80 % des demandeurs ont été ou seront déboutés.
6. Le pourcentage de bulletins dépouillés est en effet calculé à partir d'estimations sur le taux de participation et non d'un décompte exact.
7. Cette découverte pourrait donc expliquer pourquoi un tout petit pourcentage de personnes séropositives vivent très longtemps sans jamais développer jamais le sida.
8. « Les vrais courageux, ils sont en face de vous », lui rétorqua un salarié.
9. Heureuse épouse à qui un mari dit en rentrant : « Je me suis disputé avec un collègue, je suis furieux... les enfants et toi n'avez pas intérêt à me déranger ». Elle sait à quoi s'en tenir !
10. Le bruit, ou plus précisément l'excès de bruit, constitue une des principales nuisances des Européens.

Exercice 2

1. L'audiovisuel est donc une spécialité de cet établissement et un tiers des lycéens **choisissent** cette option dès la seconde.
2. Sur l'eau, les nombreux bateaux météo et ceux qui **accompagnent** les *Class America* sont équipés de moteur à quatre temps, moins polluant que les modèles à deux temps.
3. [phrase correcte]
4. Peu de communes **souffrent** en réalité d'une réelle marginalisation, mais il existe des insuffisances.
5. L'avion, comme un gros oiseau blessé, **glisse** sur l'eau à toute vitesse.
6. Au delà de cette caricature, l'homme comme la femme **sont appelés** à une plus grande attention mutuelle.
7. Sa vie et son œuvre **montrent** quelle aventure humaine il a vécue et à quel point son combat pour la liberté a marqué toute son existence.
8. Les maladies que **soigne** le citron sont nombreuses, il soigne les plaies infectées, le rhume du cerveau, la sinusite angine…
9. L'élève ainsi que le professeur **peuvent** visualiser après coup et en détail les calculs qui ont été faits (et de deux façons différentes).
10. La plupart des musées **ont rouvert leurs** portes dimanche.

Exercice 3

1. Ni l'usure du temps, ni la force, ni l'argent, ne **viendront** à bout de sa détermination à bâtir un Etat libre, respecté et doté des moyens de la souveraineté.
2. Trop de souffrance **provoque** la haine.
3. Il craint même pour son emploi parce que visiblement un tas de gens **pensent** à se reconvertir dans le comique.
4. « C'est de trouver un premier métier qui est dur pour nous », **rétorqua** l'un de ses interlocuteurs.
5. C'est pourtant le défi que **vont** relever les 25 concurrents de la deuxième Transe Gaule, course à pied d'ultramarathon.
6. « Ce n'est pas moi qui **suis** avec eux, c'est eux qui **sont** avec moi. » Il fallait y penser !
7. Faute d'initiatives, la plupart des actions **se déroulaient** en milieu de terrain.
8. J'espère que ton frère et toi ainsi que toute ta famille **passez** un bon Noël.
9. L'Assemblée générale des Nations unies **se donne** pour objectif prioritaire de réduire de moitié la proportion de la population qui **souffre** de la faim dans le monde.
10. Après avoir affirmé : « Le Pen et nous n'**avons** rien à voir », M. Raffarin a précisé : « Nos adversaires, ce ne **sont** pas les électeurs de Jean-Marie Le Pen mais ses idées. »

8. La formation du participe passé

Exercice 1

1. Nous sommes le premier groupe à pouvoir proposer l'ensemble des services de maintien à domicile.
2. Nous allons vivre une année de transition tout en essayant de faire du mieux possible.
3. Elle devra aussi promouvoir et « vendre » les trois zones d'intérêt régional qui viennent de se créer dans le département.
4. J'étais obligé de mentir à la caissière, de dire que j'avais oublié mes lunettes...
5. Une campagne, cela devrait permettre aux candidats de se faire connaître et convaincre les électeurs d'appuyer leurs propositions.
6. Il y a de plus en plus de contraintes et l'on voit nos capacités d'agir se restreindre.
7. C'est une décision qui peut valoir aux maires concernés de comparaître devant le tribunal administratif.
8. Ses complices l'admirent pour sa capacité à organiser des réseaux partout dans le monde et à corrompre les dirigeants politiques colombiens.
9. Nous n'allons pas revenir sur cette décision.
10. On croise l'un des jardiniers, qui vient de cueillir son bouquet du matin.

Exercice 2

1. De toute façon, je n'avais pas vraiment **défait** mes valises.
2. Il s'agissait d'un mélange de farine de germe de blé et d'orge **moulu**, d'eau, d'éthanol et d'acétone.
3. [phrase correcte]
4. De nombreux efforts ont été **entrepris** depuis quatre ans.
5. Un engagement qui lui a peut-être **valu** la clémence du tribunal.
6. Les deux premières équipes ont **offert** un spectacle de toute beauté.
7. Certes, il était bien **vêtu**, s'exprimait fort bien et présentait des documents a priori inattaquables.
8. Dans le discours, très **attendu**, qu'il a prononcé à l'occasion de son anniversaire, le monarque ne s'est pas contenté de se féliciter des résultats **obtenus**.
9. [phrase correcte]
10. Lors de la finale, tous les enfants ont **reçu** une médaille et ont pu participer à une grande fête animée par les Docteurs Clowns déguisés en gendarmes.

Exercice 3

1. Nous avons **ouvert** 60 magasins cette année et **investi** dans de nouvelles marques.
2. Si le problème n'est pas **résolu**, les cours devraient cesser aujourd'hui à la même heure.
3. Il est **né** en 1901 dans l'une des familles les plus riches du Salvador.
4. L'administration avait en effet **rompu** ses engagements.
5. Le réalisateur de comédies populaires et de films en costumes est **mort** vendredi, à Neuilly-sur-Seine, des suites d'un cancer.
6. Je n'ai jamais **senti** de défiance à mon égard.
7. Bien entendu, il lui est **interdit** de commercialiser son eau-de-vie.
8. Le magistrat est surtout connu pour avoir **instruit** l'affaire du petit Grégory Villemin pendant deux ans.
9. De leur côté, les médecins ont **conclu** qu'elle se trouvait dans « un état végétatif permanent ».
10. Il est entré dans la postérité dans la mesure où il a **battu** une légende vivante.

9. L'infinitif et le participe passé

Exercice 1

1. Je me vois bien **jouer** jusqu'à 33 ou 34 ans.
2. On sait que les artistes attachés au roi ont **dessiné** de nombreux modèles **destinés** aux ébénistes.
3. [phrase correcte]
4. Chalets et maisons sont livrés en kits ou **montés**.
5. **Fouetter** fermement les 8 blancs d'oeufs en neige en y ajoutant une pincée de sel.
6. Mais il faut essayer : faire ses semis est plus gratifiant qu'**acheter** fleurs et légumes déjà élevés.
7. [phrase correcte]
8. A la fin des années quatre-vingt, on s'est mis **à parler** des droits de l'enfant.
9. [phrase correcte]
10. En effet, il peut être **remboursé** partiellement ou en totalité.

Exercice 2

1. **Inaugurée** en 2000, la médiathèque permet la consultation de tous supports multimédia.
2. Ils doivent maintenant **éprouver** un grand soulagement.
3. Je préfère **composer** pour l'orchestre symphonique, qui est un instrument fantastique.
4. « Je trouve que Gilles m'aide bien et, avec lui, j'ai appris à mieux **dessiner**».
5. Le gouvernement voulait un tel système pour **assurer** des missions critiques.
6. La majorité des manifestants sont ensuite rentrés se **reposer** avant de se **mobiliser** à nouveau jeudi matin.
7. La semaine dernière, ils sont revenus pour huit jours **préparer** le spectacle sur place, et le **donner**.
8. Nous avons **refusé** d'appeler à **voter** Chirac tandis que vous l'avez fait sans réserve !
9. Le sommet est en effet supposé **déboucher** sur la définition de la vision commune que se font les Arabes de la paix avec Israël.
10. **Recroquevillé** sur lui dans le box des accusés, il semble complètement **terrorisé** par son passage devant la cour d'assises du Jura.

10.   L'accord du participe passé avec l'auxiliaire *être*

Exercice 1

1.   On ne va pas cesser d'aller dans des quartiers où <u>les gens</u> ont besoin d'être **entendus.**
2.   Un grand flou règne aujourd'hui sur ce que sont **devenues** <u>ces sommes accumulées depuis des années, qui se chiffrent en milliards d'euros.</u>
3.   Aujourd'hui, <u>tout</u> est **rentré** dans l'ordre.
4.   Pourtant, lors de l'étude de personnalité, <u>chacun de ces garçons</u> est **apparu** comme un modèle de sa génération.
5.   <u>On</u> est **tombés** sur un incompétent, je crois qu'il n'y a pas d'autres mots !
6.   Dernièrement, <u>le président</u> est **sorti** de sa réserve pour tirer la sonnette d'alarme.
7.   <u>Les albatros eux-mêmes</u> étaient à l'origine **mangés** par les requins.
8.   <u>Les plus belles lettres</u> seront **lues** sur scène.
9.   <u>Ce destin commun</u> a été **scellé** par le sang <u>des Africains</u> qui sont **venus** mourir dans les guerres européennes.
10. <u>L'alerte</u> a été **donnée** par un voisin de La Poste.

Exercice 2

1.   Voltaire, reviens, <u>ils</u> sont **devenus** fous !
2.   <u>Les résultats de cette nouvelle mesure</u> ne sont pas **apparus** instantanément, mais on peut dire que l'opération a été un succès.
3.   <u>Ces prises de position</u> ont été *critiquées* par la Commission européenne.
4.   <u>Les balcons</u> seront **construits** de façon à supporter le poids d'un spa.
5.   <u>Nous</u> sommes **parti(e)s** à la recherche des sources officielles.
6.   <u>Les grands cétacés</u>, en revanche, sont **décrits** dans la littérature comme des monstres.
7.   <u>Le Moulin à images et le spectacle du Cirque</u> seront *présentés* 57 fois chaque été, jusqu'à 2013.
8.   C'est <u>la solution</u> qui a été **imaginée** par la communauté scientifique pour tenter d'atténuer les dérèglements climatiques à venir.
9.   <u>Nous</u> sommes **allé(e)s** à la rencontre du chasseur.
10. Comme la veille, <u>les indices de Wall Street</u> sont **restés** dans le rouge toute la séance, dans un volume d'échanges extrêmement faible.

Exercice 3

1.   Après avoir blessé ces trois personnes, le jeune homme de 18 ans **a retourné** son arme contre lui, a expliqué une source policière.
2.   En février, la BNS et UBS **ont convenu** de ne pas transférer certaines catégories d'actifs.
3.   A Strasbourg, les forces de police et de gendarmerie **sont intervenues** en grand nombre.
4.   Mercredi, quelques milliers de manifestants militant pour différentes causes **sont descendus** dans les rues de Londres.
5.   Il **est apparu** le visage émacié, les cheveux grisonnants et la démarche difficile.
6.   Sa femme, enceinte de jumeaux, **est sortie** de l'hôpital !
7.   Ces dirigeants **ne sont pas tombés** de la dernière pluie.
8.   Avec cette rumeur, les journalistes **ont monté** la tête à certains jeunes.
9.   On ignore ce que **sont devenues** les victimes.
10. Ainsi ce jour-là, la mère **est rentrée** dans le fast-food avec son garçon à la main.

11.   L'accord du participe passé avec l'auxiliaire *avoir*

Exercice 1

1.   L'entreprise exige aussi un dédommagement en compensation <u>des profits</u> <u>qu'</u>elle *a perdus* depuis l'entrée en vigueur de la nouvelle loi. (COD avant > accord avec COD)
2.   La crise financière <u>l'</u>*a remis* en selle. (COD avant > accord avec COD)
3.   Des rumeurs *ont couru* sur sa retraite depuis quelques semaines. (pas de COD > invariable)
4.   Le chauffard *a* aussi *remis* (1) au tribunal <u>deux lettres d'excuses</u> « qui viennent du fond du cœur » <u>que</u> le juge *a lues* (2) attentivement. (1 : COD après > invariable ; 2 : COD avant > accord avec COD)

5. Il *a eu* (1) l'air interloqué, nous *a souri* (2) et nous *a demandé* (3) de rester calme. (1 : COD après > invariable ; 2 : pas de COD > invariable ; 3 : COD après > invariable)
6. Je t'*ai trouvée* tellement bien, c'était magnifique... (COD avant > accord avec COD)
7. Les Verts *ont conquis* quatre sièges dimanche au Grand Conseil. (COD après > invariable)
8. Ces cellules *ont résisté* (1) parce qu'elles *ont acquis* (2) une grande force de résistance grâce aux thérapies de choc qu'elles *avaient* antérieurement *subies* (3). (1 : pas de COD > invariable ; 2 : COD après > invariable ; 3 : COD avant > accord avec COD)

Exercice 2

1. La vengeance n'a jamais **résolu** de problème : la peine de mort est barbare et sauvage.
2. Jeudi dernier, il a *nié* avoir entrepris des actions visant le régime marocain.
3. Mes amis m'ont **menti**, ils m'ont dit que je pourrais trouver un bon travail.
4. La secrétaire les a **accueillis**.
5. Les filles ont été élevées par une femme et un homme adorables, qui les ont **aimées** plus qu'elles n'auraient jamais pu l'espérer.
6. Il faut que l'Etat de Genève effectue vraiment les investissements qu'il a **prévus**.
7. C'est marrant, la seule chose qu'on a **gagnée** de ces élections, c'est qu'on a beaucoup **ri**.
8. [phrase correcte ; pas de COD]
9. Il a expliqué qu'il venait de faire un gros héritage : voici quels services on lui a **proposés**.
10. Dans les matchs disputés dimanche, la Suède a **vaincu** la Chine 6-1.

Exercice 3

1. Le porte-parole **a expliqué** qu'un médecin sud-coréen **a examiné** les trois joueurs malades mais que leur état n'était pas sérieux.
2. Deux patrouilles de la gendarmerie **ont repéré** la voiture du fuyard et l'**ont prise** en chasse.
3. Les jours qui **ont suivi** la macabre découverte, les proches de la victime **ont été interrogés** par les enquêteurs de la brigade criminelle de Marseille.
4. Mais les énormes difficultés qu'ils **ont rencontrées** aujourd'hui montrent que le chemin qui les sépare du paradis est encore long.
5. Les faits dont nous **avons parlé** ici sont distincts de ceux que nous **avons évoqués** précédemment.
6. On les **a priés** de participer à des activités très surveillées, et certains **ont été menacés**.
7. Selon le magazine *People*, ce sont 500.000 $ que Madonna **a donnés**.
8. Jamais de la vie je n'**ai pensé** gagner une médaille dans ce concours.
9. Selon l'Organisation mondiale du tourisme (OMT), 924 millions de touristes **ont voyagé** dans le monde l'an passé soit une hausse de 2% en un an.
10. Les responsables du *Guinness Book* nous **ont demandé** de leur fournir un enregistrement de l'exploit supervisé par une personne responsable.

12.   Le participe passé des verbes impersonnels

Exercice 1

1. **Il** (= *Claude ; mon ami,* etc.) est tombé dans les escaliers de son hôtel à Istanbul. **(P)**
2. Dans le jardin, la table indique la hauteur de neige qu'**il** est tombé. **(I)**
3. **Il** m'est venu l'envie de manger du chocolat cet après-midi. **(I)**
4. **Il** (= *le jeune homme ; son cousin,* etc.) était venu de la ville voisine de Johnson City où **il** vivait avec sa mère. **(P)**
5. **Il** m'a bien semblé **(I)** qu'**il** s'était passé **(I)** quelque chose.

Exercice 2

1. Au fil des décennies qu'ils ont **passées** en Algérie, ils ont appris à mieux connaître l'Islam.
2. David Servan-Schreiber révèle qu'il a **eu** une tumeur au cerveau.
3. En effet, il nous a *semblé* nécessaire qu'un regard citoyen puisse être *porté* sur le fonctionnement de cette institution.
4. La moto nous a **semblé** être l'option la plus adaptée.

5. C'est son charisme, le tutoiement facile, sa sûreté sur les dossiers, tout à la fois, qui lui ont **valu** cette réputation haute en couleur.

Exercice 3

1. Comme il **a beaucoup plu** le pays a pu importer du courant hydroélectrique de Suède. **(I)**
2. Ce qui s'est passé dimanche **n'a pas plu** du tout. **(P)**
3. Il **a eu** le temps de parcourir à la fois l'Inde, le Bangladesh et le Pakistan. **(P)**
4. Les acteurs humanitaires ont pris en considération les difficultés qu'il y **a eu** à établir un consensus sur la situation humanitaire dans le pays. **(I)**
5. Il a réaffirmé que toutes les déclarations qu'il **a faites** depuis le début de la crise avec les Etats-Unis étaient vraies. **(P)**
6. Le journaliste explique cette difficulté par la tempête qu'il **a fait** sur Brest. **(I)**
7. En six mois, j'ai pu me faire comprendre en anglais ; il m'**a fallu** trois ans pour faire des phrases en français. **(I)**
8. Il m'**est venu** l'idée de vous tutoyer. **(I)**
9. Il **est venu** passer un week-end mémorable en Haute-Loire. **(P)**
10. Concernant la rentabilité, il nous **a fallu** un peu moins d'un an pour rembourser le capital investi. **(I)**

13. Le participe passé et le pronom *en* complément d'objet direct

Exercice 1

1. Les déplacements des spectateurs qui accèdent au site et **en** repartent ont une incidence majeure. **(CP)**
2. Et surtout vous **en** avez aimé la musique ! **(CN)**
3. Voilà, l'été indien est terminé et j'espère que vous **en** avez apprécié tous les bienfaits. **(CN)**
4. Les mamans d'enfants précoces s'adressent aux instituteurs qui **en** ont eu dans leur classe. **(COD)**
5. Les mauvaises conditions climatiques de cet hiver n'ont pas eu de conséquences trop graves sur les vergers, mais les vignobles **en** ont souffert. **(COI)**
6. Si les Vaudoises sont 45% à avoir eu deux enfants, 19% d'entre elles n'**en** ont eu qu'un seul, 14% trois et 4% quatre et plus. **(COD)**
7. Lisa a amélioré un peu plus de 55% des articles qu'elle a édités, alors que Bart n'**en** a même pas amélioré 36%. **(CN)**
8. Un médecin **en** a installé un autre. **(COD)**
9. Quant à l'Egypte, nous **en** avons abandonné l'idée, les "tracasseries" atteignant là un niveau que nous ne saurions accepter. **(CN)**
10. Le belge Antoine Joseph Sax (1814-1894) a cherché inlassablement à perfectionner les instruments de musique, et plus particulièrement les instruments à vent ; il **en** a amélioré la justesse, la qualité de la sonorité ainsi que la facilité de jeu (il a déposé 33 brevets). **(CN)**

Exercice 2

1. Suite à l'édition de leur quatrième album, nommé "New Jersey", et à la méga tournée qui **en** **(CN)** avait **accompagné** *la sortie*, le groupe s'est accordé une pause.
2. Les microfibres synthétiques, si Jean-Louis Etienne les a adoptées, il **en** **(CN)** a aussi **observé** *les limites*.
3. Des pays accueillaient auparavant des quotas de réfugiés ou **en** **(COD)** avaient **accueilli** massivement pour des raisons autant politiques qu'humanitaires.
4. Si l'Iran a commis de graves fautes initiales, qui ont été à l'origine de la crise, les Occidentaux **en** **(COD)** ont **commis** d'autres, qui ont contribué à l'alimenter.
5. Bien que rejetant l'idéologie hitlérienne, il **en** **(CN)** a **admiré** *la formidable organisation et son efficacité*.
6. Et pour me prouver que la Belgique fait de la bonne bière il m'**en** **(COD)** a **apporté** trois litres.
7. Heureux que ce texte existe, les enfants **en** **(CN)** ont revendiqué *l'amélioration*.
8. On parle souvent du virus Ebola, de nos jours, mais à l'époque, c'était resté top secret, au point qu'on ne cite même plus celui qui **en** **(CN)** avait découvert *la première manifestation*.
9. C'est grâce à sa petite sœur qu'Anne l'a appris ; en effet, c'est elle qui a vu la pub à la télé et *l'*en **(COI)** a **avisée**.

10. C'était tout à fait naturel et normal, comme d'ailleurs nous **en (COI)** avons rendu compte à nos partenaires.

Exercice 3

1. Des causes, les experts-conseils en **ont défendu** des centaines et cela leur donne une expertise unique.
2. Claude et Michel Barbaud parcourent à pied le Maroc depuis vingt-cinq années et en **ont photographié** les hommes et les paysages.
3. C'est le fonctionnaire lui-même qui a soumis chaque relevé de dépenses et qui en **a garanti** l'authenticité.
4. En avril dernier, l'administration Obama a déclaré qu'elle était prête à révéler ces photos, suite à un jugement en faveur de l'*American Civil Liberties Union* (ACLU) qui en **a exigé** la publication.
5. Certains ont affirmé qu'il fallait absolument adopter une nouvelle législation contre le pourriel et en **ont suggéré** les éléments.
6. Personne ne saura comment elle est arrivée là ni comment elle en **est repartie.**
7. On les en **a déchargé(e)s** en Picardie ; mais cela a encore lieu en Artois, et dans plusieurs autres coutumes des Pays-Bas.
8. Les autres n'en **ont réalisé** qu'un seul.
9. Les parents ont manqué la rencontre avec les professeurs parce que Guillaume les en **a avertis** trop tard.

14. Le participe passé des verbes pronominaux

Exercice 1

1. Karla Homolka aurait récemment modifié son apparence physique : elle s'est coupé et teint <u>les cheveux</u> en noir.
2. Ainsi, <u>de nombreux citoyens</u> se sont plaints de ne pas avoir pu voter.
3. <u>Il</u> s'est tout d'abord adressé à sa famille, à ses proches et à ses amis.
4. Les Turcs et les Portugais se sont déjà donné <u>rendez-vous</u> le 25 juin prochain en demi-finale.
5. Le directeur du théâtre, Jean Vilar, s'est rappelé <u>« que pendant des années nous nous sommes méfiés l'un de l'autre, mais nous avons appris à nous apprécier »</u>.
6. Il a sauté l'entraînement et s'est accordé <u>un bon repos</u> après avoir battu l'Américain Andy Roddick.
7. En quelques semaines, les événements <u>se</u> sont succédé.
8. Aussi, quand <u>Johnny et Laeticia</u> se sont arrêtés pour se faire un baiser, la jolie petite Jade les a regardés avec douceur et malice.
9. <u>Les sièges de WestJet Airlines</u> se sont bien vendus, le mois dernier.
10. On dit encore que la plupart d'entre elles ne sont que <u>des filles perdues</u> <u>qui</u> se sont repenties.

Exercice 2

1. <u>Les organisations internationales et de nombreux gouvernements</u> **se sont mobilisés** jeudi pour venir en aide au Pérou, frappé jeudi par un important tremblement de terre.
   (pas de COD autre que le réfléchi ; pronom réfléchi pas COI > accord avec le sujet)

2. Tous les responsables **se sont plu** à souligner la défaite des maires socialistes sortants.
   (*plaire à quelqu'un* ; pronom réfléchi COI > invariable)

3. <u>Deux personnages</u> de l'Univers Marvel **se sont appelés** Grizzly.
   (pas de COD autre que le réfléchi ; pronom réfléchi pas COI > accord avec le sujet / Grizzly est attribut)

4. <u>L'Allemagne</u> **s'est** toutefois **prononcée** contre ce principe.
   (pas de COD autre que le réfléchi ; pronom réfléchi pas COI > accord avec le sujet)

5. À Paris, <u>quelque 200 personnes</u> **se sont rassemblées** près de l'ambassade de Chine, l'un des pays les plus proches du régime birman.
   (pas de COD autre que le réfléchi ; pronom réfléchi pas COI > accord avec le sujet)

6. Il accède au pouvoir après une guerre civile au cours de laquelle <u>cinq rois</u> **se sont succédé** et **se sont entretués**, depuis le meurtre de Porrex Ier.
   (> pas de COD autre que le réfléchi ; pronom réfléchi COI > invariable)
   (> pas de COD autre que le réfléchi ; pronom réfléchi pas COI > accord avec le sujet)

7. « Je ne **me suis** jamais **imaginé** <u>la masse de travail et d'énergie qu'il fallait investir dans une telle</u>
<u>organisation</u> », reconnaît le Payernois.
(> COD placé après le verbe > invariable)

8. <u>Armelle</u> **s'est souvenue** de sa mère, jurée quelques années plus tôt et revenue "complètement
bouleversée" par cette expérience.
(> pas de COD autre que le réfléchi ; pronom réfléchi pas COI > accord avec le sujet)

9. En discutant entre eux, les repentis **se sont rendu** <u>compte</u> qu'ils avaient été floués.
(> COD placé après le verbe > invariable)

10. <u>Les anciens terroristes</u> **se sont convertis** dans le grand banditisme, a déclaré samedi le patron de la
police algérienne, Ali Tounisi.
(> pas de COD autre que le réfléchi ; pronom réfléchi pas COI > accord avec le sujet)

11. Ces joyeux lurons **<u>se</u> sont parlé** longtemps, et nul ne sait <u>toutes les bonnes blagues</u> qu'ils **se sont**
racontées !
(> pas de COD autre que le réfléchi ; pronom réfléchi COI > invariable)
(> COD placé avant le verbe > accord avec le COD)

12. Au cours de cette célébration, <u>les catholiques de la capitale</u> **se sont repentis** dans la communion et ont
prié pour tous les croyants et les morts pour leur repos dans l'Au-delà.
(> pas de COD autre que le réfléchi ; pronom réfléchi pas COI > accord avec le sujet)

13. Il **s'est produit** une chose vraiment extraordinaire : <u>des petits plaisantins</u> **se sont amusés** à couper les
bras des statues de la ville !
(> se produire > verbe impersonnel > invariable)
(> pas de COD autre que le réfléchi ; pronom réfléchi pas COI > accord avec le sujet)

14. Au premier jour de leur procès, mardi, <u>les deux adolescents</u> **se sont excusés** auprès des victimes, selon
leurs avocats.
(> pas de COD autre que le réfléchi ; pronom réfléchi pas COI > accord avec le sujet)

15. <u>Les personnes qui ont approché la cellule</u> ne **se sont doutées** de rien.
(> pas de COD autre que le réfléchi ; pronom réfléchi pas COI > accord avec le sujet)

1. Les accents

Exercice 1

a/ban/don/ner	chan/ge/ment	é/lec/tion	vous/ in/ter/di/sez
ac/com/pa/gner	ils/ cher/che/ront	nous/ en/ga/ge/rons	tu/ jet/tes
ad/mi/nis/tra/tion	je/ choi/sis/sais	j'es/pè/re	ils/ je/tè/rent
a/gen/ce	col/lec/tif	ils/ es/pé/raient	ki/lo/mè/tre
ils/ ai/dè/rent	com/mu/ni/ca/tion	es/sen/tiel	long/temps
vous/ a/jou/te/rez	ils/ con/seil/lè/rent	é/ta/blis/se/ment	mé/de/cin
au/to/ri/té	nous/ dé/cou/vri/rons	fé/vrier	né/ces/sai/re
bat/tre	der/riè/re	frè/re	of/frir
bri/tan/ni/que	dif/fi/cul/té	gé/né/ral	par/te/nai/re
cen/tral	ef/fec/tuer	in/dus/triel	vous/ re/ce/vrez

Exercice 2

achetée	défendre	ils changèrent	révéler
ils adressèrent	dehors	ils considèreront	système
après-midi	démocratie	ils développèrent	technologie
bénéfice	effort	ils réclamèrent	test
bête	électronique	meilleur	terminer
bibliothèque	élément	menacer	territoire
cinéma	elle est créée	période	transmettre
conséquence	excellent	ils préparèrent	vedette
coopération	frontière	problème	véritable
début	généralement	responsabilité	je versai

Exercice 3

accès	contrôler	espérer	intérêt
activité	cote / côte / côté	évidemment	mère
agréable	défendre	exercice	numéro
apparaitre /apparaître	délicat	fête	particulièrement
apprécier	département	fidèle	pièce
au-delà	détenir	grâce	préférer
bâtiment	effet	grève	réduire
caractère	électeur	guerre	septembre
célébrer	énergie	ile / île	spectacle
complémentaire	espèce	intéresser	théâtre

Exercice 4

[eʃɛl]	échelle	[ɔʀkɛstʀ]	orchestre
[ekipmã]	équipement	[pɔɛt]	poète
[ɛksɛpsjɔ̃]	exception	[pʀɔgʀɛ]	progrès
[federal]	fédéral	[ʀeferãs]	référence
[fɛstival]	festival	[il ʀefleʃisɛ]	il réfléchissait
[finãsje]	financier	[ʀegyljɛʀmã]	régulièrement
[eʀo]	héros	[ʀəsãble]	ressembler
[ɛ̃feʀjœʀ]	inférieur	[temwaɲe]	témoigner
[ʒə libɛʀ]	je libère	[veikyl]	véhicule
[nu libeʀɔ̃]	nous libérons	[veʒetal]	végétal

2.   La majuscule

Exercice 1

« Nous sommes là pour rappeler qui dans cette guerre fut l'agresseur et qui fut la victime, car sans une mémoire honnête, ni l'Europe, ni la Pologne, ni le monde ne vivront jamais en sécurité », a déclaré le premier ministre polonais Donald Tusk. Parmi les dirigeants qui se sont recueillis ensemble dans l'après-midi au pied du monument aux victimes de Westerplatte figurent la chancelière allemande Angela Merkel, le premier ministre russe Vladimir Poutine, les premiers ministres français François Fillon, italien Silvio Berlusconi et suédois Fredrik Reinfeldt, aussi président en exercice de l'Union européenne.
Les rancœurs et interprétations divergentes de la Seconde Guerre mondiale entre Varsovie et Moscou ont laissé planer une ombre sur ces cérémonies. Le premier ministre polonais a rencontré mardi dans la matinée son homologue russe dont les déclarations étaient très attendues en Pologne après la publication ces derniers mois en Russie d'articles et d'un film justifiant le pacte germano-soviétique Molotov-Ribbentrop d'août 1939, qui a conduit au partage de la Pologne entre l'Allemagne et l'URSS. Après cette rencontre, M. Poutine a une nouvelle fois rejeté les critiques qui rendent ce pacte responsable du déclenchement de la Seconde Guerre mondiale.
(*Le Monde,* 1er septembre 2009)

3.   Les adverbes

Exercice 1

1. apparemment, strictement, **radicallement**, lentement   > radicalement
2. simultanément, manifestement, généralement, **partièlement**   > partiellement
3. explicitement, **précédamment**, vraisemblablement, nullement   > précédemment
4. malheureusement, **implicitment**, effectivement, régulièrement   > implicitement
5. autrement, **difficillement**, systématiquement, étroitement   > difficilement
6. exactement, éventuellement, fondamentalement, **notament**   > notamment

Exercice 2

1. traditionnel > traditionnellement
2. véritable > véritablement
3. spontané > spontanément
4. paradoxal > paradoxalement
5. naturel > naturellement

6. final > finalement
7. fréquent > fréquemment
8. exclusif > exclusivement
9. nécessaire > nécessairement
10. relatif > relativement

Exercice 3

1. certain > certainement
2. extrême > extrêmement
3. particulier > particulièrement
4. officiel > officiellement
5. net > nettement

6. progressif > progressivement
7. global > globalement
8. clair > clairement
9. concret > concrètement
10. normal > normalement

Exercice 4

1. assuré > assurément
2. réel > réellement
3. seul > seulement
4. respectif > respectivement
5. tel > tellement

6. rare > rarement
7. contraire > contrairement
8. léger > légèrement
9. fort > fortement
10. plein > pleinement

Exercice 5

1. [oʒuʀdɥi] aujourd'hui
2. [kõsideʀabləmã] considérablement
3. [dabɔʀ] d'abord

16. [lɔʒikmã] logiquement
17. [lõtã] longtemps
18. [paʀalɛlmã] parallèlement

4.	[davãtaʒ] davantage	19.	[paʀfɛtmã] parfaitement
5.	[dezɔʀmɛ] désormais	20.	[pʀɛ̃sipalmã] principalement
6.	[diʀɛktəmã] directement	21.	[pʀɔbabləmã] probablement
7.	[ãviʀɔ̃] environ	22.	[pʀɔpʀəmã] proprement
8.	[ɛsãsjɛlmã] essentiellement	23.	[pyʀmã] purement
9.	[fasilmã] facilement	24.	[kɛlkəfwa] quelquefois
10.	[abityɛlmã] habituellement	25.	[sɛ̃pləmã] simplement
11.	[imedjatmã] immédiatement	26.	[sɔsjalmã] socialement
12.	[ʒystəmã] justement	27.	[spesjalmã] spécialement
13.	[laʀʒəmã] largement	28.	[spesifikmã] spécifiquement
14.	[leʒɛʀmã] légèrement	29.	[syksɛsivmã] successivement
15.	[liteʀalmã] littéralement	30.	[tɔtalmã] totalement

4.   Les homophones

Exercice 1

1. Les Etats-Unis, la Grande-Bretagne et l'Espagne **ont** présenté lundi un projet de deuxième résolution.
2. Pourtant, ici, **on n'**a pas connu de turbulentes manifestations volcaniques.
3. Je voulais montrer comment la publicité crée du **désir** dans la société.
4. Certaines familles françaises commencent à être rapatriées par les entreprises françaises qui les **emploient**.
5. « Ils **m'ont** mis le pistolet sur la tempe », témoigne la victime.
6. Toutes ces démarches sont restées **sans** suite.
7. Ce sont deux sujets parmi **tant** d'autres.
8. Dès la semaine prochaine, la préfecture fait **appel** aux gendarmes formés pour le passage des examens théoriques.
9. Discrète, elle **entretient** d'excellentes relations avec ses voisins les plus proches.
10. C'était un individu **peu** bavard.

Exercice 2

1. Grâce à ton expérience, tu **conseilles** également les clients en matière de prévention et de détection de la fraude.
2. Comme on **s'y** attendait, cette équipe a réussi la meilleure performance du championnat.
3. Je vous écris, à vous et à vos enfants, parce que ma conscience m'y **appelle**.
4. Cristina est guide du patrimoine et **travaille** pour *Turismo Torino*.
5. Sur la base de la lettre telle **qu'elle** est, nous serions profondément sceptiques.
6. Précisément, **quelles** sont vos solutions pour améliorer l'**emploi**?
7. Le ministre s'est déclaré très inquiet **quant** à l'avenir de l'Europe.
8. Une fois encore, le cinéaste et **sa** caméra scrutent l'univers de la bourgeoisie.
9. La braderie du Secours populaire : « On trouve de tout, **ça** rend service ! »
10. Mais depuis 10 ans, il **vole** de ses propres ailes.

Exercice 3

1. Puis, j'avais très froid aux mains et j'ai eu peur que mes doigts **gèlent** comme c'est hélas arrivé à d'autres.
2. Un panneau **signale** aux automobilistes l'unique point de sortie.
3. Un an plus tôt, la courbe de la mortalité sur la route **s'était** infléchie.
4. Il s'agit d'aider les malades et **leurs** familles à mieux vivre **leur** maladie.
5. Une personne sur deux consulte pour des troubles du **sommeil**.
6. Ils ont dit que **c'était** moi.
7. Et **ce** ne **sont** pas seulement les victimes qui **pleurent**, mais **leurs** mères.
8. J'ai apporté un **soutien** à la démocratie et non à l'intolérance.
9. De **ça**, tu ne **peux** pas **t'en** souvenir.
10. Les textes règlementaires seront **prêts** dès le mois de juin.

5.   Le phonème [a] en syllabe finale

Exercice 1

1. **contras**, repas, cinéma, mandat   >   contrat
2. gare, **boulevare**, départ, regard   >   boulevard
3. classe, trace, original, **famme**   >   femme
4. remarquable, **impacte**, parc, vaste   >   impact
5. espace, opéra, **surfasse**, paysage   >   surface

Exercice 2

1.   [stãdaʀ] standard   7.   [ɛfikas] efficace
2.   [atãta] attentat   8.   [sẽdikal] syndical
3.   [mõtaɲ] montagne   9.   [mas] masse
4.   [sineast] cinéaste   10. [batʀ] battre
5.   [kameʀa] caméra   11. [mõdjal] mondial
6.   [pɛʀsɔnaʒ] personnage   12. [ʃas] chasse

6.   Le phonème [ɑ] en syllabe finale

Exercice 1

1. **batir**, partir, charger, bât   >   bâtir
2. année, **agée**, apnée, anémiée   >   âgée
3. **ânimé**, âme, aimé, âne   >   animé
4. **pâtte**, pâtes, pâtisserie   >   patte
5. graisseux, **grâcieux**, grâce   >   gracieux

Exercice 2

1.   [la taʃ] la tache   6.   [lɑm] l'âme
2.   [la tɑʃ] la tâche   7.   [la aʃ] la hache
3.   [gʀasjø] gracieux   8.   [lɑʒ] l'âge
4.   [la gʀɑs] la grâce   9.   [la pɑʒ] la page
5.   [la lam] la lame   10. [le pɑt] les pâtes

7.   Le phonème [ã] en syllabe finale

Exercice 1

1. **environemment**, règlement, traitement, département   >   environnement
2. bilan, **san**, écran, plan   >   sans / sang
3. participant, **adolesçant**, commerçant, enfant   >   adolescent
4. parent, **patiant**, enseignant, concurrent   >   patient
5. décembre, membre, **chembre**, septembre   >   chambre

Exercice 2

1.   [lãg] langue   6.   [ʒã] gens
2.   [eʃãʒ] échange   7.   [ãgaʒmã] engagement
3.   [imãs] immense   8.   [ã] en / an
4.   [sjãs] science   9.   [lã] lent
5.   [seãs] séance   10. [ʀefeʀãs] référence

8.   Le phonème [b]

Exercice 1

1.   [abutiʀ]   aboutir
2.   [abe]   abbé
3.   [debyte]   débuter
4.   [abite]   habiter
5.   [duble]   doubler

6.   [sɑ̃ble]   sembler
7.   [saba]   sabbat
8.   [abei]   abbaye
9.   [sybiʀ]   subir
10.   [tɔ̃be]   tomber

9.   Le phonème [k]

Exercice 1

1. ils accueillent, nous **reccueillons**, tu provoques, je m'inquiète   >   nous recueillons
2. raconter, pratiquer, rencontrer, **concuérir**   >   conquérir
3. enquête, masque, **orquestre**, texte   >   orchestre
4. recouvrir, conquérir, **aquérir**, accueillir   >   acquérir
5. exprimer, **réccupérer**, accentuer, exploiter   >   récupérer

Exercice 2

1.   [ɛkstʀɛm]   extrême
2.   [aksɛpte]   accepter
3.   [akyze]   accuser
4.   [kɔ̃te]   compter /conter
5.   [syksede]   succéder

6.   [akeʀiʀ]   acquérir
7.   [kɔ̃keʀiʀ]   conquérir
8.   [akœjiʀ]   accueillir
9.   [ekilibʀ]   équilibre
10.   [ɔʀkɛstʀ]   orchestre

10.   Le phonème [d]

Exercice 1

1.   [nuzɛ̃tɛʀdizɔ̃]   nous interdisons
2.   [ilpɛʀd]   ils perdent
3.   [ʒəsɛd]   je cède
4.   [tydeklaʀ]   tu déclares
5.   [vukɔ̃dɥize]   vous conduisez

6.   [ʒədeklɑ̃ʃ]   je déclenche
7.   [typʀesɛd]   tu précèdes
8.   [ilzadisjɔn]   ils additionnent
9.   [nuvɑ̃djɔ̃]   nous vendions
10.   [iltʀadɥiʀɔ̃]   ils traduiront

11.   Le phonème [ø] en syllabe finale

Exercice 1

1. courageux, **œux**, fâcheux, soigneux   >   œufs
2. feu, essieu, bleu, **odieu**   >   odieux
3. eux, aïeux, **messieux**, vieux   >   messieurs
4. **vœud**, nœud, bœufs, banlieue   >   vœu / vœux
5. il pleut, la queue leu leu, dieu, **mieu**   >   mieux

Exercice 2

1. [ljø] lieu / lieux
2. [lezjø] les yeux
3. [seʀjø] sérieux
4. [bø] bœufs
5. [dø] deux

6. [ʀəliʒjø] religieux
7. [nø] nœud / nœuds
8. [ø] eux / œufs
9. [nəvø] neveu / neveux
10. [avø] aveu / aveux

12. Le phonème [œ] en syllabe finale

Exercice 1

1. conservateur, mineur, **heur**, lecteur
2. meurtre, **plusieur**, neuf, preuve
3. couleur, odeur, **cœur**, leur
4. sœur, meilleur, **pœur**, peuple
5. **imeuble**, club, seul, jeune

> heure
> plusieurs
> cœur
> peur
> immeuble

Exercice 2

1. [pʀɔfesœʀ] professeur
2. [ʃomœʀ] chômeur
3. [eʀœʀ] erreur
4. [vẽkœʀ] vainqueur
5. [kœʀ] cœur

6. [pʀœv] preuve
7. [mœʀtʀ] meurtre
8. [sœʀ] sœur
9. [klœb] club
10. [imœbl] immeuble

13. Le phonème [œ̃] en syllabe finale

Exercice 1

1. [kɔmœ̃] commun
2. [ʃakœ̃] chacun
3. [œ̃] un

4. [okœ̃] aucun
5. [ãpʀœ̃] emprunt
6. [paʀfœ̃] parfum

14. Le phonème [e] en syllabe finale

Exercice 1

1. possibilité, **réallité**, sécurité, activité
2. **eficacité**, nécessité, personnalité, proximité
3. **sociétée**, année, durée, journée
4. **légé**, danger, privé, clé
5. étranger, carré, **musé**, café

> réalité
> efficacité
> société
> léger
> musée

Exercice 2

1. [tʀɛte] traité / traiter / traitez
2. [bote] beauté
3. [ʀefyʒje] réfugié
4. [kɔmynote] communauté
5. [dyʀe] durée

6. [e] et
7. [asãble] assemblée / assembler
8. [alje] allié / allier / alliez
9. [lise] lycée
10. [ymanite] humanité

15.   Le phonème [ɛ] en syllabe finale

Exercice 1

1. billet, **complêt**, effet, arrêt   >   complet
2. accès, **respès**, procès, progrès   >   respect
3. discret, intérêt, **déchêt**, forêt   >   déchet
4. frais, palais, lait, **portrais**   >   portrait
5. délai, mai, **monnai**, vrai   >   monnaie

Exercice 2

1. **siecle**, cercle, architecte, échec   >   siècle
2. bref, chef, avec, **aid**   >   aide
3. mer, cher, **diver**, hiver   >   divers
4. affaire, nécessaire, **fraire**, salaire   >   frère
5. jeunesse, recette, planète, **dète**   >   dette

Exercice 3

1. universel, réel, officiel, **model**   >   modèle
2. potentiel, **anuel**, industriel, actuel   >   annuel
3. elle, échelle, essentielle, **hôtelle**   >   hôtel
4. test, pièce, ouest, **gest**   >   geste
5. système, **intèrne**, planète, fidèle   >   interne

Exercice 4

1. [ʒœnɛs] jeunesse   6. [ɛkspɛʀ] expert
2. [defɛt] défaite   7. [fɛt] fête / faite / faites
3. [ɛspɛs] espèce   8. [kɔmisɛʀ] commissaire
4. [mɛtʀ] maître / mètre / mettre   9. [aʀjɛʀ] arrière
5. [ɛbdɔmadɛʀ] hebdomadaire   10. [gʀɛv] grève

16.   Le phonème [ɛ̃] en syllabe finale

Exercice 1

1. prochain, main, humain, **plain**, urbain   >   plein
2. chemin, juin, dessin, **écrivin**   >   écrivain
3. examen, italien, **trein**, soutien   >   train
4. chrétien, quotidien, **prence**, maintien   >   prince
5. peintre, **pleinte**, simple, quinze   >   plainte

Exercice 2

1. [lɑ̃dəmɛ̃] lendemain   6. [ljɛ̃] lien
2. [sɛʀtɛ̃] certain   7. [sutjɛ̃] soutien
3. [vɛ̃t] vingt   8. [ʃəmɛ̃] chemin
4. [mwajɛ̃] moyen   9. [plɛ̃] plein
5. [kɔ̃bjɛ̃] combien   10. [medsɛ̃] médecin

17.   Le phonème [f]

Exercice 1

1. défendre, profiter, **afronter**, informer
2. souffrir, affirmer, **reffuser**, offrir
3. suffire, **fournire**, réfléchir, franchir
4. **préfférer**, former, effectuer, diffuser
5. photographier, téléphoner, **maniphester**, télégraphier

> affronter
> refuser
> fournir
> préférer
> manifester

Exercice 2

1.   [fʀaz] phrase
2.   [afiʃe] afficher
3.   [ʃaʀmasi] pharmacie
4.   [fɔʀme] former
5.   [fɛʀme] fermer

6.   [syfiʀ] suffire
7.   [sufʀiʀ] souffrir
8.   [ɔfʀiʀ] offrir
9.   [fuʀniʀ] fournir
10.   [pʀɔfite] profiter

18.   Le phonème [g]

Exercice 1

1. longueur, déléguer, figurer, **guarder**
2. augmenter, engager, **egsiger**, regrouper
3. examiner, exercer, **orguaniser**, exact
4. suggérer, **enggager**, exécution, exister
5. collègue, **gerre**, auxiliaire, garantir

> garder
> exiger
> organiser
> engager
> guerre

Exercice 2

1.   [ʒɑ̃gaʒɛ] j'engageais
2.   [nugaʀɑ̃tiʀɔ̃] nous garantirons
3.   [tyɛgzist] tu existes
4.   [ilzɛgziʒe] ils exigeaient
5.   [vuʀegle] vous réglez

6.   [ilgaʀɑ̃tis] ils garantissent
7.   [ɛlsygʒɛʀ] elle suggère /elles suggèrent
8.   [nufigyʀʀɔ̃] nous figurerons
9.   [lɔ̃gœʀ] longueur
10.   [egzekysjɔ̃] exécution

19.   Le phonème [i] en syllabe finale

Exercice 1

1. lundi, mari, **crédi**, souci
2. catégorie, démocratie, sortie, **avie**
3. depuis, gris, **déficis**, précis
4. énergie, prix, circuit, **espris**
5. conflit, huit, fuit, **outit**

> crédit
> avis
> déficit
> esprit
> outil

Exercice 2

1. public, trafic, **classic**, article
2. rythme, **pryme**, pays, type
3. limite, organisme, **loisire**, pire
4. site, vite, **fice**, six
5. dispositif, chiffre, **efectif**, passif

> classique
> prime
> loisir
> fils
> effectif

Exercice 3

1.	[istɔʀik] historique	6.	[sɥis] suisse
2.	[min] mine	7.	[piʀ] pire
3.	[sɥit] suite	8.	[masif] massif
4.	[ʀeysit] réussite	9.	[ekip] équipe
5.	[sis] six	10.	[fis] fils

20. Le phonème [j] en syllabe finale

Exercice 1

1. **vile**, famille, fille, mille	> ville
2. détail, travail, **batail**, épouvantail	> bataille
3. lier, **milier**, particulier, quartier	> millier
4. confier, apprécier, **conseilier**, signifier	> conseiller
5. courrier, **dergnier**, papier, atelier	> dernier

Exercice 2

1.	[akœj] accueil / accueille	6.	[apaʀɛj] appareil
2.	[nuzetydjɔ̃] nous étudions	7.	[metje] métier
3.	[ʒəmɔdifiʀe] je modifierai	8.	[taj] taille
4.	[œj] œil	9.	[ɔfisje] officier
5.	[paʀɛj] pareil / pareille	10.	[tysiɲifi] tu signifies

21. Le phonème [ʒ]

Exercice 1

1.	[vuzaʒisje] vous agissiez	6.	[ilpaʀtaʒʀɔ̃] ils partageront
2.	[tyɑ̃ʀəʒistʀəʀa] tu enregistreras	7.	[ʒəʃɑ̃ʒɛ] je changeais
3.	[nuʃaʀʒɔ̃] nous chargeons	8.	[tyʀɑ̃ʒ] tu ranges
4.	[ilʀeaʒis] ils réagissent	9.	[vupʀɔteʒe] vous protégez
5.	[ʒəplɔ̃ʒɛ] je plongeais	10.	[nuʒɛʀʀɔ̃] nous gèrerons

22. Le phonème [l]

Exercice 1

1. contrôler, réaliser, **aler**, évaluer	> aller
2. collège, dollar, **évollution**, intelligence	> évolution
3. lever, lire, **ilustrer**, collaborer	> illustrer

Exercice 2

1.	[nuzaljɔ̃] nous allions	6.	[dɔlaʀ] dollar
2.	[mɔ̃nilustʀəkɔlɛg] mon illustre collègue	7.	[ilselɛbʀ] il célèbre /ils célèbrent
3.	[ʒəʀəlɛv] je relève	8.	[ʒəplasɛ] je plaçais
4.	[eliʀ] élire	9.	[ɛ̃stale] installer / installez
5.	[nusuliɲjɔ̃] nous soulignions	10.	[tyʀevɛl] tu révèles

23. Le phonème [m]

Exercice 1

1. demeurer, dominer, **nomer**, montrer > nommer
2. ramener, **emener**, entamer, estimer > emmener
3. commencer, commercer, **réclammer**, communiquer > réclamer

Exercice 2

1. [nukɔmetɔ̃] nous commettons
2. [ilamɛn] il amène
3. [tyɑ̃mɛn] tu emmènes
4. [vutemwaɲje] vous témoigniez
5. [ɛllimitʀa] elle limitera
6. [ʒənɔmʀe] je nommerai
7. [ɛl ameljɔʀɛ] elle améliorait
8. [vuzɑ̃tamʀe] vous entamerez
9. [ʒəkɔmynik] je communique
10. [ilpʀɔgʀamɛ] il programmait

24. Le phonème [n]

Exercice 1

1. menacer, **mentioner**, maintenir, mener > mentionner
2. devenir, soutenir, **étoner**, entraîner > étonner
3. donner, annoncer, **réunnir**, fonctionner > réunir

Exercice 2

1. [nunɛtʀɔ̃] nous naîtrons
2. [ilmɑ̃sjɔnʀɔ̃] ils mentionneront
3. [otɔn] automne
4. [vudefinisje] vous définissiez
5. [ʒɛstimɛ] j'estimais
6. [ilzanɔ̃sʀɔ̃] ils annonceront
7. [tyʀeynisɛ] tu réunissais
8. [ilvjɛn] ils viennent
9. [ilzɑ̃tʀɛn] ils entraînent
10. [nudɔnɔ̃] nous donnons

25. Le phonème [o] en syllabe finale

Exercice 1

1. chaud, haut, taux, **fau** > faux
2. beau, morceau, **propeau**, tableau > propos
3. gros, dos, **dépos**, repos > dépôt
4. radio, studio, vélo, **héro** > héros
5. tôt, impôt, plutôt, **môt** > mot

Exercice 2

1. cause, **chause**, faute, gauche > chose
2. côte, contrôle, rôle, **jône** > jaune

Exercice 3

1. [zon] zone
2. [ʒon] jaune
3. [nymero] numéro
4. [wazo] oiseau
5. [fo] faux
6. [os] hausse
7. [ʃoz] chose
8. [ʃo] chaud
9. [o] au / haut / eau
10. [ʀezo] réseau

26.   Le phonème [ɔ] en syllabe finale

Exercice 1

1. vol, sol, espagnol, **parol**   >   parole
2. octobre, **chock**, rock, poche   >   choc
3. abord, bord, record, **efford**   >   effort
4. mort, rapport, **hort**, port   >   hors
5. maximum, minimum, **summe**, album   >   somme

Exercice 2

1. [metɔd] méthode   6. [ɔʀ] hors / or
2. [katastʀɔf] catastrophe   7. [tʀezɔʀ] trésor
3. [kɔʀ] corps   8. [sɛ̃bɔl] symbole
4. [fʀɑ̃kɔfɔn] francophone   9. [aeʀɔpɔʀ] aéroport
5. [tʀɑ̃spɔʀ] transport   10. [tɔn] tonne

27.   Le phonème [ɔ̃] en syllabe finale

Exercice 1

1. action, collection, **discution**, question   >   discussion
2. construction, nation, **pretion**, intention   >   pression
3. commission, expression, **proposission**   >   proposition
4. passion, mission, **créassion**, tension   >   création
5. dimension, version, **excepsion**, exclusion   >   exception

Exercice 2

1. façon, maison, raison, **secon**   >   second
2. fond, profond, **lond**, dont   >   long
3. contre, nombre, **sonbre**, ombre   >   sombre

Exercice 3

1. [pɔ̃] pont   6. [ləsɔ̃] leçon
2. [lɔ̃] long   7. [səgɔ̃] second
3. [ɛ̃stitysjɔ̃] institution   8. [asɔsjasjɔ̃] association
4. [pʀɔfesjɔ̃] profession   9. [ʀeflɛksjɔ̃] réflexion
5. [sɛksjɔ̃] section   10. [miljɔ̃] million

28.   Le phonème [p]

Exercice 1

1. empêcher, espérer, **échaper**, emporter   >   échapper
2. parler, porter, **raporter**, priver   >   rapporter
3. apparaître, appeler, **propposer**, opposer   >   proposer
4. appuyer, **prépparer**, échapper, supprimer   >   préparer
5. obtenir, substituer, **resbecter**, absolument   >   respecter

Exercice 2

1. [vupɛjje] vous payiez
2. [tyʀepɛt] tu répètes
3. [ʒapɛl] j'appelle
4. [ɛlʀaplɛ] elle rappelait
5. [nusypstituʀɔ̃] nous substituerons

6. [ilzapaʀɛs] ils apparaissent
7. [apsɑ̃] absent
8. [ildevlɔpʀɔ̃] ils développeront
9. [vuzɔptəne] vous obtenez
10. [ʒespeʀɛ] j'espérais

29. Le phonème [ʀ]

Exercice 1

1. nourrir, **courrir**, correspondre, interroger
2. créer, diriger, **ariver**, mériter
3. mourir, **sourir**, nourrir, ouvrir

> courir
> arriver
> sourire

Exercice 2

1. [ildiʀɔ̃] ils diront
2. [nuzɛ̃teʀɔʒɔ̃] nous interrogeons
3. [ɛlsuʀije] elle souriait /elles souriaient
4. [ʀetɔʀik] rhétorique
5. [ʒətiʀʀe] je tirerai

6. [tynuʀiʀa] tu nourriras
7. [aʀɛt] arrête !
8. [ɛldiʀiʒe] elle dirigeait / elles dirigeaient
9. [nukuʀʀɔ̃] nous courrons
10. [ilmuʀɛ] il mourait / ils mouraient

30. Le phonème [s]

Exercice 1

1. conseiller, **conserner**, considérer, construire
2. adresser, assister, **aperssevoir**, assurer
3. préciser, décider, **blecer**, énoncer
4. insister, consister, inciter, **suciter**
5. ressembler, posséder, **dessendre**, intéresser

> concerner
> apercevoir
> blesser
> susciter
> descendre

Exercice 2

1. [ʒəkɔ̃sidɛʀ] je considère
2. [nupuʀsɥivɔ̃] nous poursuivons
3. [tytɛ̃teʀɛse] tu t'intéressais
4. [ɛlsysitʀɔ̃] elles susciteront
5. [nuzɛ̃flyɑ̃sɔ̃] nous influençons

6. [iltʀasɛ] il traçait / ils traçaient
7. [sɛse] cessez !
8. [vuzɛsɛʀe] vous essaierez
9. [ilzapɛʀsəvɛ] ils apercevaient
10. [fɛso] faisceau

31. Le phonème [t]

Exercice 1

1. voter, jeter, dater, **luter**
2. **atendre**, entendre, étendre, prétendre
3. atteindre, promettre, **pretter**, permettre
4. bibliothèque, catholique, **lethre**, rythme
5. mettre, soumettre, regretter, **traitter**

> lutter
> attendre
> prêter
> lettre
> traiter

Exercice 2

1. [nulytɔ̃]   nous luttons
2. [ilkutɛ]   il coûtait / ils coûtaient
3. [ilzatʀibyʀɔ̃]   ils attribueront
4. [ʒəbɑtisɛ]   je bâtissais
5. [otɑ̃tik]   authentique

6. [tyatɑ̃dʀa]   tu attendras
7. [nuzemetʀɔ̃]   nous émettrons
8. [ɛlty]   elle tue / elles tuent
9. [ilpɛʀmetʀɔ̃]   ils permettront
10. [teɔʀi]   théorie

32.   Le phonème [y] en syllabe finale

Exercice 1

1. rue, avenue, vue, **individue**   >   individu
2. refus, jus, **débus**, issus   >   début
3. but, nul, dur, **cellul**   >   cellule
4. structure, fermeture, **sure**, signature   >   sur / sûr / sûre
5. **sude**, étude, habitude, inquiétude   >   sud

Exercice 2

1. [lyt]   lutte
2. [ʒyst]   juste
3. [nyl]   nul / nulle
4. [kɔmyn]   commune
5. [ʃyt]   chute

6. [byt]   but
7. [ʒysk]   jusque
8. [isy]   issu / issue
9. [liteʀatyʀ]   littérature
10. [atityd]   attitude

33.   Le phonème [u] en syllabe finale

Exercice 1

1. bout, surtout, **vout**, tout   >   vous
2. coût, coup, août, **gout**   >   goût
3. jour, lourd, concours, **retourt**   >   retour
4. amour, court, **parcour**, discours   >   parcours
5. course, bourse, **sourse**, ressource   >   source

Exercice 2

1. [ʀɑ̃devu]   rendez-vous
2. [kaʀfuʀ]   carrefour
3. [fu]   fou
4. [dut]   doute
5. [ʀəkuʀ]   recours

6. [bu]   bout
7. [ut]   août
8. [ku]   cou / coup / coût
9. [duz]   douze
10. [kɔ̃kuʀ]   concours

34.   Le phonème [w] en syllabe finale

Exercice 1

1. pourquoi, emploi, **froi**, roi   >   froid
2. fois, mois, **drois**, trois   >   droit
3. témoin, **poin**, coin, soin   >   point / poing
4. **valoire**, boire, croire, voire   >   valoir
5. noir, soir, espoir, **victoir**   >   victoire

Exercice 2

1. [vwa] voie / voix
2. [bwat] boîte
3. [bəzwɛ̃] besoin
4. [adʒwɛ̃] adjoint
5. [ɑ̃vwa] envoi

6. [memwaʀ] mémoire
7. [etwal] étoile
8. [ʃwa] choix
9. [pwa] poids / pois
10. [fwa] foi / foie / fois

35. Le phonème [z]

Exercice 1

1. favoriser, jazz, **analyzer**, onze > analyser
2. choisir, oser, **saisire**, viser > saisir
3. présenter, réserver, **réposer**, résister > reposer

Exercice 2

1. [ʒəʃwazisɛ] je choisissais
2. [typʀezidʀa] tu présideras
3. [ilezit] il hésite
4. [nuzanalizɔ̃] nous analysons
5. [vudispozʀe] vous disposerez

6. [ilsɛzis] ils saisissent
7. [gaz] gaz
8. [ʒəbaz] je base
9. [tyvizɛ] tu visais
10. [ɛlʀezistəʀa] elle résistera

Index alphabétique

Achevé d'imprimer sur les presses de JOUVE

en septembre 2011 - N° 756822R

aux Éditions Alphil-Presses universitaires suisses